RAISON ET PASSION

Michaël Walzer

Raison et Passion

Pour une critique du libéralisme

Traduit de l'anglais (États-Unis) par
Camille Fort-Cantoni

Traduit avec le concours
du Centre National du Livre

Circé

MAIL : contact@editions-circe.fr
ISBN : 2-84242-153-1
© 1999 S. Fischer Taschenbuch Verlag GmbH, Francfort am Main
© Circé • 88210 Belval pour la traduction française

Introduction

Voici déjà quelques années, j'ai écrit un essai intitulé « La critique communautaire du libéralisme », dans lequel j'affirmais que le communautarisme se laisse définir en premier lieu comme un rectificatif apporté à la théorie et aux pratiques du libéralisme, plutôt que comme une doctrine indépendante ou un programme politique en soi[1]. Mon intention première, à l'endroit de ces conférences, était d'étoffer ce « rectificatif » afin de suggérer aux tenants du libéralisme de nouveaux axes sociologiques et sociopsychologiques, plus productifs. Cet aspect de mon projet a conservé son importance et dicté les thèmes de ces trois conférences. Dans la première, j'examinerai ce qui m'apparaît comme un trait essentiel de notre vie associative : dans bien des domaines, elle n'est pas le fait d'un héros libéral, d'un individu autonome qui serait en mesure de choisir ses propres allégeances. Au contraire, un grand nombre d'entre nous se situent d'ores et déjà dans des groupes qui pourraient bien s'avérer déterminants. Dans ma deuxième conférence, je démontrerai par extension que les délibérations d'individus autonomes ne constituent qu'un moindre aspect du scénario politique en démocratie, avant de suggérer que le conflit social, négligé ces dernières années par les théoriciens du libéralisme, joue en réalité un rôle majeur : je m'efforcerai d'avancer un compte-rendu (ou du moins un inventaire) des activités qu'il requiert. Dans ma troisième conférence, j'étudierai le rôle joué par la passion dans la vie politique qui est la nôtre, non sans m'inquiéter de ce que le libéralisme « raisonnable » (lequel conserve tout mon soutien) ne nous aide pas à saisir l'importance de ce rôle, ni à canaliser et contraindre ses diverses manifestations.

C'est là, ou du moins c'était là mon programme, mais au cours de la rédaction, je me suis laissé fasciner de plus en plus par un autre ensemble de problèmes, lesquels portent plus sur la démocratie sociale que sur le communautarisme. En me concentrant sur ces trois facteurs « oubliés » par le libéralisme — les associations involontaires, le conflit social, et l'engagement passionné — j'ai fini par réaliser qu'ils ont pour effet principal d'accroître les difficultés de la lutte contre l'inégalité. J'entends donc soutenir qu'à l'égard de cette lutte, le libéralisme tel qu'il se présente actuellement représente une théorie inadéquate et une pratique politique handicapée, et ce pour trois raisons. La première, c'est que l'inégalité persiste en quelque sorte dans ces associations involontaires dont les théoriciens du libéralisme admettent si rarement l'importance, alors qu'elles sont dans le même temps le moteur principal de la politique multiculturelle, l'une des formes (certes contestée) que revêt aujourd'hui l'égalitarisme. La seconde, c'est que l'analyse rationnelle et le débat réfléchi prônés par le libéralisme sous le nom de « délibération », même lorsqu'ils aboutissent à des conclusions égalitaires, ne traitent que rarement d'une expérience réelle de l'inégalité, ou du combat qu'elle génère. Et la troisième, c'est que les structures sociales et les décrets politiques qui font perdurer l'inégalité ne pourront susciter d'opposition active qu'en suscitant d'abord une passion intense qui met très mal à l'aise la plupart des libéraux (pour d'excellentes raisons).

Il s'avère que le rectificatif communautaire, mon premier objectif, sert également, ou peut également servir, à produire un libéralisme qui, s'il n'est pas en soi plus égalitaire que notre libéralisme actuel, ordinaire, favorise plus une appropriation et un usage égalitaire. Cette version « rectifiée » mobilise davantage un contenu sociologique, elle ouvre plus de pistes psychologiques — deux facteurs essentiels, comme je le montrerai, pour une doctrine qui soit à même de cerner, d'expliquer et de soutenir la mobilisation et la solidarité démocratiques. Je prends pour hypothèse première, sans la défendre dans ces conférences, que nous avons besoin d'une doctrine de cette espèce, et qu'elle a tout intérêt à être, si possible, de nature libérale.

CHAPITRE UN
Les associations involontaires

I

Les gens, tous ceux que je connais, forment continuellement des associations en valorisant cette liberté de s'associer selon leur gré, à des fins diverses, avec d'autres gens de toute sorte. Ils ont raison, indéniablement : la liberté d'association est une valeur centrale, une condition essentielle de la société libérale où doit s'exercer la démocratie. Toutefois, il serait erroné d'attribuer à cette valeur une portée trop générale en s'efforçant de créer un univers où toutes les associations seraient de nature volontaire, une sorte d'union sociale composée à part entière d'unions sociales librement constituées. Cette vision idéale d'un monde où des individus autonomes choisiraient librement de forger ou de rompre des liens sans subir la moindre contrainte est l'exemple par excellence d'une fausse utopie. Elle a toujours paru absurde aux sociologues, et devrait éveiller le scepticisme des politologues et des philosophes de la morale. Aucune société humaine ne peut survivre sans établir des liens d'une toute autre nature — le problème, c'est de justifier ces liens autres que volontaires auprès d'hommes et de femmes qui revendiquent leur liberté. Celle-ci ne requiert-elle pas de rompre tous les pactes que nous n'avons pas librement choisis de conclure, maintenant ou par le passé ? Les associations involontaires, les sentiments qu'elles suscitent, les valeurs qu'elles inculquent, ne mettent-elles pas en danger l'idée même d'une société libérale ?

J'entends démontrer ici que pour vivre libre, il suffit de pouvoir rompre des pactes involontaires. De plus, ces ruptures ne sont pas toujours une bonne chose et il ne faut pas les faciliter systématiquement. Très souvent, nos allégeances n'ont pas fait l'objet d'un libre choix, les obligations qui nous lient se sont passées de notre consentement, nombre de sensations agréables et d'idées utiles nous parviennent sans accord préalable. Nous pouvons nous figurer ces façons d'exister, et les divers modes d'existence communautaire où elles viennent s'insérer, comme des « constructions sociales » auxquelles nous avons contribué à titre individuel. Mais il serait invraisemblable de considérer que nous les avons créées de toutes pièces. Nous intégrons des groupes, nous formons des associations, nous les gérons et nous nous laissons gérer par elles, tout cela au sein d'un réseau complexe de contraintes. Celles-ci peuvent revêtir de multiples formes, dont certaines sont à la fois précieuses et légitimes. Rappelez-vous les célèbres arguments de Rousseau au premier chapitre du *Contrat Social*: « L'homme est né libre et partout il est dans les fers [...] Comment ce changement s'est-il fait ? Je l'ignore. Qu'est-ce qui peut le rendre légitime ? Je crois pouvoir résoudre cette question. » Toutefois, cette introduction est fautive : nous ne sommes pas nés libres.

Et c'est parce que nous ne sommes pas nés libres que nous ne sommes pas nés égaux (comme il apparaît plus clairement). Les associations involontaires sont les sources les plus directes d'inégalité car elles contraignent les individus à occuper une position, voire un ensemble de positions, dans la hiérarchie sociale. Ce que promet l'autonomie libérale, c'est de déverrouiller la société en permettant aux individus, sinon d'élire, du moins de viser à occuper les positions de leur choix — et par conséquent, de créer une société constituée d'hommes et de femmes non seulement libres et mobiles, mais davantage égaux. Or, c'est là une fausse promesse. Nous ne pourrons contester la hiérarchie sociale qu'en identifiant les associations involontaires telles qu'elles sont, afin d'agir sur elles. Il serait stupide de les nier; il est impossible de les abolir. Elles représentent une donnée immuable de la vie en société, et tous ceux qui luttent pour être égaux, comme tous ceux qui luttent pour être libres, leur sont inéluctablement soumis.

II.

Les contraintes involontaires sont de quatre espèces, que je voudrais étudier ici. Toutes, elles s'instaurent en nous dès un âge tendre; elles nous orientent de gré ou de force vers des associations d'un certain type; elles limitent également notre droit à les abandonner, sans réussir à l'éradiquer dans une société libérale. Les sociologues ont disserté sur les deux premières; les politologues et les philosophes de la morale ont eu leur mot à dire sur les deux dernières. Mais nous gagnerions, je crois, à les regrouper en un inventaire unique.

1) La première contrainte est d'ordre socio-familial. Dès la naissance, nous faisons partie d'un cercle de famille, d'une nation ou d'un pays, d'une classe sociale, et nous acquérons une identité sexuelle. Ces quatre critères contribuent largement à déterminer les gens avec qui nous nous associerons

pour le restant de notre vie, quand bien même nous haïssons nos proches, taxons le patriotisme de sentimentalisme, ou demeurons indifférents à toute conscience de classe, à toute revendication féministe. La plupart d'entre nous sont par ailleurs admis très tôt dans l'une ou l'autre communauté religieuse, de par les rituels du baptême, de la circoncision, de la confirmation à l'adolescence, ou de la *bar mitzvah*. Ce sont là des formes d'intégration probantes, d'où découlent, comme l'enfant se le verra rappeler, certains droits et devoirs. L'éducation parentale opère plus indirectement, tout comme l'intégration à une communauté religieuse ou politique extérieure au foyer, ou encore l'expérience quotidienne de l'identité sociale et sexuelle : elle constitue tout un arrière-plan qui amènera le jeune adulte à privilégier certaines formes d'associations. On a beaucoup écrit, ces dernières années, sur l'échec des structures familiales mais, il faut le dire, la plupart des parents réussissent pleinement à créer des enfants à leur image. Et parfois, hélas, c'est bien là le signe d'un échec : des parents originaires d'un milieu défavorisé pourront se montrer incapables d'encourager activement leurs enfants à intégrer une « bonne » société, une culture dominante. Cela dit, la plupart des parents souhaitent avoir une progéniture qui ne prenne pas trop ses distances, qu'ils puissent encore reconnaître comme la leur — et, la plupart du temps, ils génèrent ce type d'enfants. Avec, bien sûr, un petit coup de main de leurs amis.

Les jeunes gens rompent parfois les liens, s'émancipent violemment de leurs obligations familiales et de leur environnement social, vivent sans tenir compte des préjugés sexuels de leur milieu, mais, de l'avis général, paient cette liberté au prix fort. Si l'on veut prédire quels seront les liens forgés par une génération, le mieux est de considérer ceux de la précédente : il y a belle lurette que les politologues ont découvert cette règle en matière de fidélité à un parti et de comportement électoral. Si la culture américaine, par exemple, tient « l'indépendance » pour une valeur forte, les jeunes Américains n'en sont pas moins prêts à suivre la plupart du temps l'exemple parental. Les électeurs démocrates ou républicains ont probablement eu des parents qui votaient républicain ou démocrate, de même que les individus de caractère indépendant ont sans doute eu des parents de même nature[1]. Les choix confessionnels sont, je le soupçonne, encore plus sûrement fléchés par les affiliations parentales. On peut même dire qu'en matière de religion, « choix » n'est sans doute pas un concept opérateur. Ces rituels d'adhésion sont d'une efficacité surprenante : l'appartenance à une communauté religieuse représente dans la plupart des cas un héritage familial. Les pratiques protestantes, telles que le baptême adulte ou la renaissance évangélique, sont visiblement destinées à briser ce schéma, et elles y réussissent plus ou moins, offrant un exemple historique aux associations volontaires [2]. Il serait néanmoins intéressant de savoir combien de chrétiens dits « régénérés » sont les enfants spirituels, autant que biologiques, de leurs parents, comme s'ils étaient nés à seule fin d'être ré-générés.

Les individus intègrent des associations qui ratifient leurs identités plus qu'elles ne les interrogent — ces identités que la plupart se sont vus octroyer par leurs parents et les amis de leurs parents. Là encore, certains peuvent rompre avec leur héritage, s'engager dans un dur processus d'auto-recréation, comme Abraham dans la Bible (qui, d'après une légende apocryphe, aurait brisé les idoles de ses pères) ou comme Chrétien, le pélerin imaginé par John Bunyan dans un texte canonique du protestantisme anglais, qui fuit sa femme et ses enfants pour faire son salut, en se bouchant les oreilles pour ne pas entendre leurs cris. La présence de ces individus est nécessaire à l'évolution d'une société, mais si tous leur ressemblaient, la notion même de société deviendrait inconcevable : Abraham n'a pas encouragé son fils bien-aimé, Isaac, à se rebeller comme lui. Contrairement à son père, Isaac naît au sein même du Parti de Jéhovah : il est moins digne d'admiration, mais infiniment plus fiable. Bunyan lui-même fut contraint par ses lecteurs à rédiger une suite au *Progrès du Pélerin*, où il acheminait la femme et les enfants de son héros dans un parcours désormais stéréotypé, qui leur faisait intégrer la communauté des saints [3]. La seule rupture avec le monde parental que la plupart des parents sont enclins à favoriser, du moins dans les sociétés modernes, c'est la mobilité sociale, l'ascension dans une hiérarchie établie. Même alors, la plupart des enfants n'accèdent qu'à une mobilité relative, qu'elle se traduise par l'ascension ou le déclin : le rang social, comme la fidélité religieuse ou partisane, tend à perdurer d'une génération à l'autre. Ceci est dû en partie à l'existence continue d'obstacles extérieurs à la mobilité sociale, que nous sommes en droit d'espérer abolir un jour afin de promouvoir « l'égalité des chances ». Il est possible de remettre en question et de faire évoluer des formes de subordination qui tendent à se reproduire. Toutefois, certains obstacles sont inhérents à la mobilité sociale : les enfants peuvent rechigner à abdiquer les solidarités de classe et de voisinage qu'ils ont connues. Ils montrent dès lors une certaine tendance qui, sans être universelle, est à coup sûr large et prononcée, à vivre leurs choix associatifs au sein d'une société et d'une culture qu'ils se sont appropriées.

Dans ce type de milieu, les associations qu'ils forgent ou intègrent peuvent encore être qualifiées de volontaires, mais il nous faut admettre combien cette définition demeure partielle et incomplète, notamment après examen du second élément de notre liste.

2) La seconde contrainte tient à la façon dont la culture influence, voire détermine les structures associatives qui nous sont accessibles. Les associés peuvent s'élire les uns les autres, mais n'ont que rarement leur mot à dire sur la forme et le style de leur association. C'est notamment le cas du mariage : l'union civile peut véritablement traduire la rencontre de deux âmes, mais celles-ci, en s'unissant, ne définissent en rien le sens du mariage. Le mariage est une pratique culturelle : sa signification et les responsabilités qu'il postule sont admis par les partenaires dès lors qu'ils se reconnaissent mutuellement pour époux et épouse. Leurs accords et contrats prénuptiaux n'affectent que superficiellement cet arrangement. De même, il arrive que des hommes et des femmes fondent un club, une ligue, un syndicat ou un parti, en se regroupant librement pour rédiger un règlement spécifique. On peut toutefois parier que leur association présentera d'étonnantes ressemblances avec ceux de leurs proches concitoyens, leurs voisins de quartier : ces règlements spécifiques relèvent le plus souvent d'un modèle standard[4].

Les esprits créatifs, lorsqu'ils traversent une période de crise et d'évolution culturelle, réussissent manifestement à concevoir de nouvelles structures associatives, après bien des ratés et autres faux départs. Et les inégalités formelles des anciennes structures sont souvent susceptibles d'être critiquées et modifiées de l'intérieur, même s'il faut du temps pour les dépasser, même si la vision critique qui oriente cet effort ne donnera sans doute pas lieu à des résultats concrets en fin de compte (du reste, le changement peut prendre la forme d'une régression). Mais la norme, ici, c'est la continuité dans l'imitation et la reproduction, que viennent interrompre régulièrement des tentatives de réformer les diverses associations en les ramenant à leurs principes d'origine. Nous adhérons à ces principes avant même d'y voir l'objet de notre choix[5].

De même, la compétence en matière d'associations suscite l'admiration et l'imitation plus qu'elle n'est librement choisie. Nous ne prenons pas la décision d'acquérir les aptitudes sociales et politiques sans lesquelles nous ne pourrions nous associer. Comme les règlements parallèles et les principes sus-nommés, ces aptitudes représentent un acquis culturel : elles caractérisent déjà un ensemble de parents et d'aînés qui nous les transmettent, souvent sans effort délibéré. Ma toute première association, intégrée à l'âge de huit ans, était un petit groupe d'écoliers intitulé l'Eternel Clan des Quatre (*Four Friends Forever*) qui dura environ dix mois, et dont je sortis plus averti, et prêt à renouveler l'expérience. Dans une culture qui valorise l'activité d'association et les compétences nécessaires à cette activité, ce type de rupture incite à retenter sa chance plus qu'elle n'engendre la désillusion.

Notre vie associative s'appuie donc sur des acquis fondamentaux. Nous nous réunissons dans un but précis, nous nous découvrons des intérêts communs, nous soutenons plus ou moins les mêmes raisonnements, et nous formons une organisation. Celle-ci ressemble plus ou moins à toutes les autres, ce qui nous permet de ne pas agir au hasard. C'est pourquoi notre action est reconnue par les groupes déjà formés, qui évaluent sans tarder notre statut d'adversaires ou d'alliés potentiels — ou n'opposent qu'indifférence à notre union. Les attentes conventionnelles que nous suscitons représentent notre passeport dans la société civile. En revanche, si nous organisons des réunions secrètes, portons des masques, communiquons par messages codés sans œuvrer explicitement au bien public, en adoptant généralement un comportement excentrique, c'est alors que nous éveillons la méfiance et le malaise — car il se pourrait bien que nous ne soyons pas du tout une organisation, mais plutôt une cabale, un groupe de conspirateurs, ou pire encore…

Même des pratiques associatives se voulant radicalement novatrices refléteront le plus souvent des formes établies : ainsi, le mariage homosexuel copie la famille nucléaire moderne. Ce modèle établi s'avère éminemment viable, pour peu qu'on puisse ignorer (et ça ne va pas de soi) l'une de ses contraintes traditionnelles, celle qui touche à l'identité sexuelle des conjoints. De façon assez similaire, les mouvements sociaux antiparlementaires évoluent peu à peu vers une organisation partisane ; les sectes religieuses se muent en églises, tout en continuant de se définir comme des « églises à part » (ce qu'elles sont parfois). Imaginez maintenant que les gens se rassemblent de toutes sortes de façons distinctes, infiniment étranges, pour s'associer selon un modèle libre et original, sans émettre le moins signal permettant de les identifier : la société deviendrait intolérable, et il y régnerait un pur malaise, un infini soupçon. Imaginez un univers où le moindre mariage serait librement institué par les deux partenaires, sans souci des lois, sans respect des normes concernant la cérémonie proprement dite (c'est aujourd'hui souvent le cas aux États-Unis), l'engagement réciproque des conjoints, leur accord en matière de domicile, leurs obligations vis-à-vis de leurs proches, leurs enfants, leurs belles-familles. Pour libres et égaux que soient ces partenaires, impossible de les qualifier de « mariés ». Cet usage ne ferait plus sens. Il faudrait alors en concevoir un autre, capable de stabiliser les attentes de la société et les responsabilités des individus. Le libre choix ne saurait opérer que dans le cadre admis des dispositions culturelles.

3) La troisième contrainte relative à l'association volontaire est de nature politique. Notre naissance ou notre habitat nous inscrit d'office au sein d'une communauté politique. Cette appartenance revêt diverses significations selon l'époque et le lieu où nous vivons. Pour certains individus (ceux partis coloniser une terre inconnue, par exemple), elle peut faire l'objet d'un libre choix. Mais ce n'est pas le cas pour la majorité des gens. Ceux qui critiquent d'ordinaire la théorie du consentement libéral invoquent cette simple donnée de la vie politique : nous sommes nés citoyens (ou alors, c'est que nous n'avons vraiment pas de chance) et il est rare qu'on nous propose de confirmer ce statut. La riposte ordinaire à ces critiques consiste à évoquer une sorte de consentement tacite (c'est ce que j'ai fait dans un essai sur la citoyenneté et ses devoirs publié il y a plus de vingt-cinq ans [6]). Celle-ci se fonde sur de bonnes raisons, sans aborder cependant la question qui nous préoccupe ici : la communauté politique n'est pas sans rappeler fortement un *union shop*. Si vous vous trouvez à tel endroit, et si vous y restez, vous serez pris dans un réseau de dispositions que vous n'avez nullement mis en place.

Dans la sphère économique, les véritables *union shops* fonctionnent sur ce modèle, que je trouve également justifié[7]. L'autonomie, sous la forme d'une démocratie politique ou industrielle, n'est possible que si tous les habitants, ou tous les employés, accèdent au statut de citoyen. Ils peuvent décider de voter ou de s'abstenir, de rejoindre tel ou tel parti ou mouvement, de constituer un comité électoral ou un groupe de soutien, ou de s'abstenir de toute activité politique. Mais si on leur refuse, ou si eux-mêmes se dénient le droit de faire toutes ces choses, la démocratie le cède à l'oligarchie. C'est du reste parfois le cas, souvent même, mais la possibilité d'un activisme citoyen — militantisme associatif, mobilisation de masse, insurrection radicale, changement de majorité électorale — impose du moins certaines restrictions aux gouvernants, et les citoyens peuvent sauvegarder cette possibilité sans jamais agir directement (encore que ce soit parfois nécessaire). Une chose, toutefois, leur est impossible : occuper leur domicile ou leur lieu de travail tout en se soustrayant aux droits et aux devoirs qu'incombe la citoyenneté (comme de payer leurs impôts ou leurs cotisations syndicales).

L'appartenance obligatoire à un syndicat ou à une nation rend possibles toutes sortes de choix et de décisions, y compris celle d'agir en citoyen engagé ou en militant syndical [8]. Ce dernier choix n'est manifestement pas une condition première du militantisme, puisque des non-citoyens ou des employés non-syndiqués peuvent s'associer, comme c'est souvent le cas, pour réclamer leur inscription sur les listes électorales ou leur reconnaissance par le patronat. On notera toutefois que pour remporter cette bataille, il faut la remporter pour autrui, à savoir les autres militants, restés passifs, qui se voient ainsi offrir de nouvelles chances et de nouvelles responsabilités, qu'ils n'avaient pas revendiquées en premier lieu. Leurs revendications peuvent maintenant s'étendre, si tel est leur choix, à des activités et à des organisations bien plus efficaces que tout ce qui leur était proposé auparavant. C'est alors seulement qu'on peut parler d'une politique démocratique digne de ce nom, et ce qui la rend possible, c'est qu'elle mobilise de gré ou de force l'ensemble des citoyens.

4) La quatrième contrainte relative aux associations est de nature morale, ce qui amène certains à estimer qu'elle n'est pas réellement contraignante. Ceux qui la violent ne s'attirent que harangues et reproches. A moins de la considérer comme partie prenante du processus de socialisation, ou inscrite dans le code culturel, voire imposée légalement par les représentants de l'État, la moralité ne produirait aucun effet concret. Or, c'est là un jugement erroné. Certes, la moralité joue un rôle implicite dans chacune des trois contraintes susmentionnées, mais elle peut aussi être éprouvée en soi. Elle représente une contrainte, que les individus abordent non seulement en leur qualité d'animal social, culturel ou politique, mais aussi, plus simplement, en leur qualité d'invidus s'efforçant d'agir justement. Ils entendent la « petite voix » de cette contrainte qui leur ordonne de faire telle ou telle chose, qu'ils n'ont pas (jusqu'ici) choisi de faire, et dont ils préféreraient s'abstenir. Et — c'est là un point essentiel de ma démonstration — elle leur ordonne (ou eux-mêmes s'ordonnent) d'intégrer telle association et de participer à tel combat politique, ou, au contraire, de s'en retirer.

Les contraintes morales nous incitent souvent à battre en retraite, et, notons-le, ce retrait concerne les associations involontaires. L'exemple classique, c'est la façon dont Rousseau évoque le droit d'émigration. Les citoyens, dit-ils, peuvent quitter à tout moment leur pays, sauf lorsque la patrie est en danger. En période de trouble, ils seront tenus de rester sur place pour aider leurs concitoyens (l'argument vaut sans doute également pour les membres des classes assujetties ou des minorités ethniques et religieuses, mais je m'en tiendrai pour l'instant à l'exemple politique)[9]. Cette obligation ne découle pas de leur participation politique antérieure.

Même s'ils se sont montrés des citoyens négligents ou apathiques, qui ne se ruaient jamais aux assemblées publiques, ils demeurent sous le coup d'une obligation. L'affirmation de Rousseau est absolue. Elle est par ailleurs tout à fait plausible. J'ai pu naguère bénéficier de la prospérité nationale, ou du militantisme de mes concitoyens, ou d'une éducation républicaine, ou de mon bon renom de citoyen, ou du simple fait que j'habite un pays en paix. A présent, je ne dois pas tourner les talons. De fait, il est probable que j'admettrai implicitement cette contrainte même si je me refuse à la respecter, en avançant des excuses, en inventant des raisons pressantes au moment de plier bagage.

Toutefois, mon devoir n'est peut-être pas simplement de rester sur place en ces circonstances. Il peut être utile de citer ici la loi religieuse juive. Les membres de la *kahal* (cette communauté médiévale autonome ou semi-autonome) étaient tenus de protester à haute voix contre les transgressions morales et religieuses. Libre à eux de partir ensuite, de se mettre en quête d'une communauté aux usages plus confortables, mais seulement après avoir exprimé leurs protestations en public et cherché à modifier les usages du pays. C'est aussi le cas, me semble-t-il, pour ceux d'entre nous qui sommes citoyens d'un État démocratique moderne [10]. Si la République est attaquée de l'extérieur, nous risquons d'être tenus (mais ce point prête à controverse) de nous engager comme soldats et d'aller combattre ses ennemis. Si les valeurs républicaines sont attaquées sur place, nous risquons d'avoir à intégrer un parti, un mouvement, une campagne visant à défendre ces mêmes valeurs. Ce seraient là des actes volontaires, à strictement parler, tant que nous restons libres d'agir autrement (rester constitue aussi un acte volontaire, tant que nous avons la possibilité de partir). Et pourtant, en agissant ainsi, il se peut que nous ayons l'impression d'agir sous la contrainte. Nous faisons notre devoir, sans pour autant accomplir le célèbre adage de Rousseau, « On le forcera [le citoyen] d'être libre » . On ne nous force même pas à être moral. Parfois la société exerce d'immenses pressions pour nous amener à « bien faire », mais nous croyons alors agir en toute conscience, ce qui représente un mode d'action à la fois libre et soumis, dans la mesure où nous n'avons ni conçu ni choisi ce juste choix que nous dicte à présent notre conscience. Et personne ne nous a jamais dit que notre consentement tacite — le fait que nous habitons tel endroit, participons chaque jour à telle ou telle activité sociale — pouvait avoir des conséquences aussi radicales. Le simple fait de vivre auprès d'autrui représente un engagement moral, qui nous lie à lui de façon inattendue.

Parfois, bien sûr, il devient nécessaire de briser ces liens : sur ce point, les associations involontaires ne diffèrent pas des volontaires. Parfois, il est dans notre intérêt de prendre nos distances avec tel groupe, intégré quelques années plutôt, de démissionner de tel comité de direction, de reprendre notre indépendance sociale parce que le groupe en question ne sert plus les objectifs que nous avons fait nôtres, ou parce qu'il en sert maintenant d'autres que nous combattons. La situation est plus ou moins la même avec les groupes que nous n'avons jamais intégrés, mais auxquels nous appartenons de fait. La différence tient peut-être au degré d'obstination que nous mettrons à tenir bon, à protester, à résister de l'intérieur le plus longtemps possible. Il se peut — comme je tends à le croire — que ces obligations se fassent plus fortement sentir dans le cadre d'une association involontaire : nous nous sentirons contraints d'argumenter plus longtemps avec un parent, un rejeton, ou un proche qui commet une faute grave, qu'avec un conjoint. Passé un certain stade, nous pouvons toujours demander le divorce, alors qu'il est difficile de divorcer des siens.

III.

A présent, supposons que cette présentation des associations involontaires nous apparaisse comme le discours d'une sociologie réaliste : qu'en sera-t-il de nos théories politiques ou morales ? Elles établiront diverses obligations, comme je l'ai démontré plus haut, mais dans une perspective sociologique. Ces obligations sont de simples données morales, concernant le monde tel qu'il nous est donné. Or, l'autonomie libérale ne vise-t-elle pas à remettre en cause ce « donné » ? Ne sommes-nous pas censés critiquer les associations où nous nous trouvons en raison de notre naissance et de notre éducation sociale, nous demander si nous les aurions choisis en toute liberté ? Ne devrions-nous pas nous interroger sur ce qu'auraient fait à notre place des agents rationnels et autonomes ? C'est là une question délicate, car ces agents rationnels et autonomes n'auraient manifestement pas fait ce qu'ont fait les « vrais » hommes depuis l'aube de l'humanité. Ce qui est criticable, mais en quoi ? La plupart des « vrais » hommes, si l'on considère leur éducation culturelle et politique, ne font que « choisir » ce qui leur a été transmis. Les rebelles et les révolutionnaires eux-mêmes ne combattent sans doute que certaines aspects du monde dont ils ont hérité. Faut-il exiger qu'ils combattent tous les autres, ceux qu'un groupe fictif d'agents libres et rationnels n'aurait jamais « choisis » ?

Somme toute, le monde, tel qu'il nous est donné, opprime presque toujours l'un ou l'autre de ses habitants. Comment peuvent-ils, comment pouvons-nous, tous autant que nous sommes, identifier cette oppression sans invoquer tel ou tel critère de liberté idéale et de parfaite autonomie ? L'argument classique de la « fausse conscience » ne concerne en réalité que l'épistémologie morale des association involontaires. D'après cet argument, nos quatre critères identitaires précédemment inventoriés — la famille, la culture, l'État, le rapport moral à autrui — ne produisent qu'une servitude intellectuelle. Le seul moyen de s'en émanciper consiste à rompre avec ces associations pour chercher notre propre voie. Sinon dans les faits, du moins en pensée, en adoptant une attitude critique à l'égard de nos faits et gestes.

Sans vouloir dévaloriser ces activités mentales, je voudrais rappeler d'autres valeurs non moins précieuses. Le monde des associations involontaires ménage toujours un créneau à l'opposition et à la résistance, et, le plus souvent, donne aux hommes de bonnes raisons d'agir dans ce créneau plutôt que d'opter pour un exil absolu. Entre autres, la loyauté due à certaines personnes, le sentiment de bien être familier que l'on ressent à leur contact, les richesses d'une tradition héritée, et le désir d'assurer la continuité des générations. Les hommes et femmes qui choisissent d'agir au sein d'une association donnée ne sont pas nécessairement victimes de leur fausse conscience, et ceux qui les critiquent de l'extérieur devraient s'assurer qu'ils ont bien compris les raisons de ce choix. Il est indispensable de s'appuyer sur une sociologie morale réaliste et bien informée pour critiquer la société sans l'outrager.

Rares sont les critiques « de l'extérieur » qui font cet effort de compréhension sociologique. Je n'en citerai qu'une, l'œuvre d'une politologue féministe américaine (notre époque abonde en épithètes de ce genre), Nancy Hirschmann.

Hirschmann a rédigé une étude fine et nuancée concernant la pratique du voile dans la culture musulmane, en se fondant sur des entretiens avec des femmes pratiquant cette croyance, dont certaines vivent « à l'intérieur », d'autres « à l'extérieur » [11]. Hirschmann montre comment le voile peut devenir une revendication d'indépendance et un symbole de résistance, alors même qu'il signifiait à l'origine — et encore aujourd'hui — la soumission des femmes qui le portent. Le port du voile — tout comme le mariage, dans ses avatars historiques — est une pratique héritée des ancêtres, qu'aucune femme ne choisirait « là, maintenant », pour ainsi dire. Mais il leur est impossible de choisir « là, maintenant » ; il leur est impossible de repartir de zéro. La seule alternative que le monde moderne offre aux musulmanes, c'est d'adopter la culture libérale occidentale (que je préconiserais si je devais en débattre avec elles). Mais il se peut qu'elles ne se reconnaissent pas dans cette culture, comme il est probable qu'elles rejetteraient un bon nombre de conventions libérales, dont celles qui touchent à la différence sexuelle, si elles choisissaient « là, maintenant ». C'est pourquoi elles doivent souvent affronter simultanément deux obstacles : le port du voile et la soumission symbolique qu'il représente, mais aussi l'« impérialisme culturel » occidental. Et le port du voile, régulier, intermittent, ou adapté, peut représenter un choix significatif au regard de ces affrontements qui, inévitablement, se déroulent dans un univers de symboles qui ne sont pas le fait des femmes.

Dans ce cas, comme dans bien d'autres situations, la fuite n'est pas un remède dans la lutte contre l'inégalité et la soumission au sein d'associations involontaires (même si les individus désireux de s'enfuir devraient pouvoir le faire). De même, la lutte contre les inégalités économiques, religieuses ou raciales, prise dans un contexte social plus global, ne saurait être résolue par l'abolition des classes, des communautés religieuses, ou des races. On a souvent étendu la vision marxiste d'une société sans classes à celle d'une société sans cultes et sans races. Mais c'est sans doute là une vision fautive, y compris dans une perspective économique. L'amélioration collective des salaires, des conditions de travail, des performances politiques, et du niveau social des classes ouvrières, avantage plus l'ouvrier moyen qu'un engagement idéologique prônant la disparition des classes. C'est pourquoi le devoir de solidarité auquel sont soumis les membres d'une même classe risque de prévaloir sur leur droit à la mobilité sociale. Cet argument vaut encore plus clairement pour tous les autres groupes « donnés », où la revendication d'une reconnaissance collective et d'une passation de pouvoirs l'emporte, et sur la revendication abolitionniste, et sur le droit à l'assimilation dans des groupes puissants et déjà reconnus, pour d'excellentes raisons morales et psychologiques.

Comme je l'ai déjà suggéré, les individus intégrés dans une association ne se sentent d'ordinaire pas libres de quitter le groupe, et se refusent tout autant à le dissoudre pour se fondre dans la société en général. Ils espèrent promulguer les traditions qu'ils valorisent, mais dans de meilleures circonstances, dans un contexte plus égalitaire, au lieu de renoncer à cette tradition pour l'amour de l'égalité. Pas plus qu'ils ne veulent voir leurs enfants rompre avec cette tradition, ou qu'ils ne les exhortent à forger leur propre identité « librement », comme si les enfants se mettaient à exister à partir d'un « degré zéro » mythique, en l'absence de famille, de culture, de pays qui leur soient propres. Ces parents veulent promouvoir une idée de la liberté et de l'égalité qui s'accomode aussi bien de la différence collective que de la singularité individuelle. Et c'est là une visée légitime (comparée à d'autres) de ce qu'on appelle aujourd'hui « la politique identitaire ». Celle-ci découle de ce qu'Irving Fleitscher a baptisé « das Recht, man selbst zu bleiben »[12] (le droit de rester soi-même), lequel demeure valable même face à, ou, justement, à l'encontre des campagnes d'assimilation forcée, menées au nom de l'universalisme politique (ainsi, la tentative soutenue par le gouvernement pour « américaniser » les immigrants aux États-Unis au début du XXe siècle). La défense de ce droit à l'identité joue un rôle majeur dans les conflits sociaux actuels, souvent centrés sur une demande de reconnaissance émanant d'individus membres d'associations involontaires.

III.

Peut-on vraiment imaginer des individus sans le moindre lien, sans la moindre obligation sociale, religieuse, raciale, sexuelle, des individus dépourvus de toute identité, absolument libres ? Cette hypothèse fictive est très utile à une époque où les théoriciens postmodernes défendent à cor et à cri la notion d'« auto-création » : nous devrions nous recréer non pas de toutes pièces, ni dans un créneau vacant de la société, mais plutôt, semble-t-il, dans les vestiges des structures sociales conventionnelles. Pour ma part, je soupçonne que cette tentative acharnée à définir une société d'invidus autocréés est vouée à l'échec. Toutefois, il serait intéressant de porter un diagnostic sur cet échec en montrant s'il est définitif. Faisons donc l'effort de nous représenter des hommes et des femmes à l'image de ceux que décrit la psychanalyste française Julia Kristeva, soit des individus qui définissent leur identité et leurs engagements « en raison de leur lucidité, et non pas de leur destin »[13]. Ils fixent eux-mêmes leurs projets de vie, choisissent non seulement leurs associés mais la forme même de l'association, remettent en cause le moindre schéma de la vie sociale ordinaire, et n'admettent que les engagements auxquels ils ont volontairement souscrits. Ils font de leur vie un projet purement personnel ; on peut voir en eux les entrepreneurs du moi.

Certes, cette « auto-création » est « incertaine, risquée, et laborieuse » (comme l'admet George Kateb [14], l'un des politologues américains qui la préconisent). Mais les hommes et les femmes dont c'est l'objectif y œuvrent dès la petite enfance ; ils ont le temps de s'accoutumer à ses difficultés inhérentes. Leurs parents (tout comme les chrétiens régénérés, les individus auto-créés ne sauraient faire l'économie d'un père et d'une mère) contribuent sans doute à les préparer aux choix qui leur incomberont. N'oubliez pas qu'ils sont censés constituer une société à part entière, pas juste un nombre aléatoire d'individus. Quelle éducation cette société donnera-t-elle à ses jeunes ? Quels sont ses enjeux lorsqu'elle entreprend de transformer des enfants vulnérables et dépendants en individus émancipés ?

J'imagine qu'on pourrait enseigner à ces enfants des valeurs individualistes, telles que l'autonomie et l'intégrité, les bienfaits du libre arbitre, la prise de risque, si palpitante dans le domaine des relations privées et des engagements politiques. Reste qu'on ne saurait décliner ce type d'enseignement sur un mode impératif : « Fais ton libre choix ! Agis par toi-même ! » Mieux vaut sans doute user d'une structure narrative. Aussi racontera-t-on à ces enfants des histoires passionnantes, qui leur expliqueront comment une société d'individus libres fut naguère établie en dépit d'une féroce opposition communautaire ou religieuse, et comment des dispositions sociales antérieures, primitives, organiques ou tyranniques amenèrent à la fuite ou à une rébellion triomphante. On peut aussi supposer que ces histoires donneront lieu à des fêtes occasionnelles, marquées chaque année par les mises en scène rituelles de cette lutte contre les associations involontaires. C'est là une façon d'éduquer les émotions, mais puisqu'il s'agit également de préparer les esprits à la liberté, on demandera à nos étudiants fictifs d'étudier les textes fondateurs qui expliquent et défendent les libertés individuelles, et de lire les classiques, romans ou poèmes, dont les auteurs auront fait preuve de cette liberté.

Ces mesures m'apparaissent comme autant de nécessités évidentes. On ne prépare pas des enfants à la vie sociale, quelle qu'elle soit, surtout si elle est incertaine, risquée et ardue, en les autorisant à courir un peu partout, comme des chevaux sauvages en liberté. D'un autre côté, les imaginer comme autant de chevaux regroupés dans un corral suggère immédiatement une association involontaire, à savoir une école, fût-elle consacrée à l'apprentissage de la liberté. Mais si l'éducation scolaire est nécessaire, et nécessairement contraignante, elle n'offre aucune garantie de succès. Il est probable que la plupart de ces enfants auront de la peine à exprimer une individualité singulière, et qu'ils rêveront d'un schéma conventionnel où s'intégrer plus facilement. En principe, on ne peut leur offrir davantage qu'un aperçu général de ce que devrait être un projet de vie individuel : impossible de rédiger les leurs à leur place. Comment feront-ils donc pour choisir leur propre voie ? Je me figure une cohorte d'individus-en-gestation parvenus à l'adolescence, motivés par une excentricité sincère, mais devenue par ailleurs un phénomène de mode. Tous, ils se ruent d'une association à une autre, et elles abondent. Et pourtant, tous comptes faits, nonobstant les efforts de leurs parents et de leurs enseignants, seront-ils plus singuliers, plus individualisés que les enfants dont les parents sont des pratiquants juifs ou catholiques, ou des citoyens pénétrés de leur identité nationale, bulgare ou coréenne ? Se montreront-ils, en vérité, plus tolérants si l'un des leurs décidait de sortir des normes, de ne pas s'auto-créer, et s'il annonçait à ses amis horrifiés : « Je vais faire ma vie en suivant le modèle parental, tout simplement » ?

La majorité des enfants, bien sûr, ne connaîtraient pas cette rébellion et finiraient par constituer avec le temps quelque chose comme ce que le sociologue américain Harold Rosenberg[15] appelait naguère, pour définir l'intelligentsia occidentale des années quarante et cinquante, une « horde d'esprits indépendants ». Ils exhiberaient fièrement toutes les différences qu'ils auraient su cultiver, et vivraient à l'aise parmi leurs semblables. Ils participeraient de plein gré à la vie politique de cette société, encore qu'il soit difficile d'imaginer à quoi ressemblerait celle-ci, si tout un chacun tentait d'adopter l'attitude, ou du moins l'apparence, d'un dissident ou d'un étranger. Quoi qu'il en soit, ils se sentiraient sûrement obligés de défendre le régime qui défendrait leurs dissidences contre toute menace intérieure ou extérieure — notamment contre ceux de leurs concitoyens qui revendiqueraient leur propre engagement collectif, leur identité commune. Les individus seraient libres de quitter le pays, sauf lorsque leur individualité serait menacée…

Ce que suggère cette hypothèse fictive, c'est, je crois, qu'on ne saurait former une société composée d'individus libres sans mettre en place un processus de socialisation, une culture prônant l'individualité, et un régime politique soutenant ces valeurs, dont les citoyens soient prêts à se mobiliser pour elles. En d'autres termes, cette société représenterait pour la plupart de ses membres une association involontaire. Elle comprendrait tous les liens sociaux, culturels, politiques et moraux dont témoignent les autres sociétés, et ceux-ci produiraient les mêmes effets divers, à savoir la conformité et, parfois, la rébellion. Et pourtant l'existence et la légitimité de ces liens seront sans doute niés par tous ceux qui vivent, ou croient vivre, dans une société de ce genre, surtout les esprits conformistes. Or, ce déni présente un danger : il rend plus ardue l'analyse des associations involontaires dans une perspective morale et sociologique. Nous ne pourrons plus tenter de montrer si les liens unissant les individus sont trop serrés ou trop lâches, si la situation requiert un parrainage de l'État, une régulation légale, un financement privé, une opposition active, un désintérêt bénin. Nous ne pourrons plus comprendre sous quelles formes les associations involontaires produisent de l'inégalité, ni évaluer les luttes menées au sein de ces associations afin d'y participer efficacement. Nous ne pourrons plus identifier les tensions propres à la politique identitaire, ni distinguer entre les demandes de « reconnaissance » raisonnables et celles qui sont déraisonnables. Et tout cela importe, car la nature d'une association involontaire n'est jamais définie une fois pour toutes : elle est sujette à des modifications, notamment politiques. Pour la modifier, toutefois, il faut en premier lieu l'identifier. Si elle ne concerne que des individus jouissant d'une pleine autonomie, il n'y a plus lieu de prendre des décisions politiques touchant la contrainte et la liberté, l'assujettissement et l'égalité.

Or, il nous faut prendre des décisions critiques au sujet de toutes ces structures, schémas, institutions et rassemblements qui n'ont pas fait l'objet de notre choix. Tant par leur nature que par la valeur que nous leur attribuons, les associations involontaires jouent un rôle significatif dans notre décision d'adhérer volontairement à d'autres associations. Les premières précèdent historiquement et biographiquement les secondes, et constituent l'inéluctable arrière-plan de toute vie sociale, qu'elle se vive ou non dans la liberté et l'égalité. Nous nous rapprochons de la liberté en nous ménageant ces possibles échappatoires que sont le divorce, la conversion, le retrait, l'opposition, la démission, etc. Nous nous rapprochons de l'égalité en permettant à notre société d'évoluer dans le cadre des associations involontaires, et de les amener à réviser leurs statuts. Mais un exil collectif ne sera jamais possible, et le réajustement des statuts n'aboutira jamais à leur abolition. Ce décor social qu'on nous a imposé, nous ne pouvons le situer tout à fait au premier plan, au point d'en faire l'enjeu d'une auto-détermination individuelle. La chose est sans doute évidente, mais il importe de l'énoncer clairement : notre libre-arbitre dépend de l'expérience que nous avons des associations involontaires, et de la compréhension que nous avons de cette expérience, et cela vaut aussi pour l'égalitarisme. Sans cette expérience, sans cette compréhension, les individus ne seront pas de force à affronter les incertitudes de la liberté ; il leur manquera des alternatives nettes et cohérentes pour faire leur choix ; ils n'auront pas même ce degré minimal de confiance qui permet de forger une association volontaire. Ils ne pourront lutter pour l'égalité qui garantit aux hommes et aux femmes une identité, une cause, des camarades, des engagements… ce qui revient à postuler une absence d'égalitarisme réaliste ou durable.

Toutefois, nous pouvons agir sur le milieu social — en débattant sur ce qu'il importe de faire à telle heure, à tel endroit — pour inciter les gens à participer activement aux associations, et à promouvoir l'égalité dans ce milieu. Nous pouvons, par exemple, améliorer l'enseignement public par telle ou telle mesure, changer les programmes, imposer des critères nationaux, établir un contrôle local, accroître le salaire et le prestige des enseignants. Nous pouvons exiger que tous les enfants aillent dans ces établissements, ou autoriser des enseignements privés et religieux (soumis toutefois à certaines règles). La socialisation est coercitive par essence, mais sa nature et ses conditions peuvent toujours faire l'objet d'un débat et de réformes démocratiques. De même, nous pouvons redistribuer les revenus et les opportunités sociales en visant à une plus grande égalité, non seulement parmi les individus, mais aussi parmi les communautés ethniques et religieuses. Nous pouvons réformer les lois matrimoniales, rendre le divorce plus ou moins facile, proposer des allocations familiales, venir en aide aux femmes battues et aux enfants maltraités, reconsidérer le partage des rôles au sein du foyer, et à l'extérieur. Nous pouvons infléchir le cadre légal où s'inscrivent les règlements intérieurs d'une société ou d'un syndicat, et choisir de subventionner telle ou telle association. Nous pouvons interdire certains rituels ou pratiques propres à telle ou telle association, comme la polygamie ou l'excision. Nous pouvons repenser les droits et les devoirs des étrangers résidant sur notre territoire. Nous pouvons rendre le service militaire obligatoire ou volontaire, et en exempter telle ou telle catégorie d'hommes ou de femmes, etc. Pratiquer la démocratie, c'est, pour l'essentiel, se confronter aux contraintes familiales, ethniques, sociales, ou sexuelles. Encore une fois, nous ne saurions abolir ces associations involontaires, et il peut arriver que nous désirions les renforcer, car elles nourrissent notre identité de citoyen vivant en démocratie. Impossible, par ailleurs, d'équilibrer parfaitement associations volontaires et associations involontaires : il nous faut, à toute heure, négocier des compromis entre les deux, au vu de la situation.

Dans les faits, ces négociations aboutissent moins à un simple équilibrage qu'à un panachage des deux composantes. Notre milieu social n'est pas entièrement le produit d'associations involontaires, puisqu'il est toujours possible de rompre (non sans mal) avec les diverses obligations qu'il présuppose. Et les associations qui s'ajoutent au lot, tous ces partis, mouvements, unions auxquels nous adhérons, ne sont pas tout à fait d'ordre volontaire : ils représentent les libres choix d'hommes et de femmes à qui on a donné et enseigné la possibilité de faire exactement ces choix-là... librement (certains ont du reste fait preuve de libre arbitre en s'abstenant). En donnant, en enseignant cette possibilité, on construit sans cesse de la liberté : parfois, en l'améliorant ; parfois, en redistribuant plus justement ses bénéfices, sans jamais toutefois produire une parfaite autonomie. Dans tous les cas, il est question d'un choix volontaire, éminemment précieux. Il faudrait ici, ce me semble, parler de liberté, tout simplement, sans réserve : c'est la seule que des hommes et des femmes comme vous et moi pourront jamais connaître.

Ce que j'ai tenté de cerner dans cette première conférence, c'est la liberté des individus, telle qu'elle est bornée par les réalités de la vie en communauté. J'ai voulu justifier ces contraintes en critiquant une vision exagérée et asociale de la liberté et de ses processus, afin de défendre une notion de l'égalité qui prenne en compte le statut communautaire des individus, hommes et femmes. Dans la conférence suivante, je voudrais examiner une autre exagération du libéralisme : la façon dont il se représente des individus autonomes occupés à délibérer au sein d'une démocratie. Cette représentation n'est pas tant asociale qu'anti-politique. J'entends démontrer qu'en valorisant excessivement la délibération, on oublie les effets insidieux de l'inégalité et du conflit social, et que l'exercice de la démocratie requiert des engagements plus concrets.

Chapitre II
Délibérons, certes… mais encore ?

I

La « démocratie délibérative », c'est ainsi que les Américains ont rebaptisé les théories allemandes portant sur « l'activité communicationnelle » et le « discours idéal » .

Par définition, ce concept intervient à un stade premier de la pensée et des justifications philosophiques, ce qui le rend plus accessible à ceux qui, comme moi, se situent à ce stade. Ses défenseurs invoquent, plus spontanément que ne le font les philosophes allemands, les activités d'État et les dispositifs institutionnels. Ils ne se focalisent pas sur les prémisses rationnelles du discours humain, mais sur l'organisation pratique et les conséquences probables d'une argumentation politique régie par des normes. Ces prémisses sont de simples présupposés, et il n'est pas besoin d'arguties sophistiquées pour établir leur valeur philosophique.

Toutefois, la démocratie délibérative n'est rien d'autre, je le répète, qu'une théorie politique, soit un avatar intéressant du libéralisme américain, lequel est passé d'un discours prônant la légitimation à un discours prônant la prise de décision. Certes, le second se réfère au premier : il conserve, comme je le montrerai, un certain préjugé en faveur du modèle légiste. Il n'empêche qu'on a vu récemment paraître une avalanche impressionantes d'ouvrages et d'articles traitant de la démocratie délibérative avec toutes sortes d'arguments convaincants.

Mais l'idée même de délibération n'a pas assez prêté à controverse aux États-Unis, où l'on n'a fait pour ainsi dire aucun effort pour examiner les différents contextes où elle s'inscrit, ni les précisions qu'il fallait lui apporter, si bien qu'elle menace de tourner au cliché [1]. Je voudrais dès lors céder à une impulsion contraire, et m'efforcer d'inventorier ici toutes les activités non-délibératives qu'implique à bon droit, sinon par nécessité, l'exercice de la démocratie. Je doute que cet inventaire soit exhaustif, mais n'ai rien exclu consciemment. Comme on le notera sous peu, je ne vois pas dans « délibération » un synonyme de « pensée » ; les activités que j'entends définir ici n'ont rien d'irréfléchi. Mais elles ne relèvent pas de la délibération au sens idéal ou programmatique postulé par les théoriciens de la démocratie délibérative : celle-ci se donne pour but de parvenir à des décisions au terme d'un processus rationnel de débat entre sujets égaux, qui s'exposent mutuellement leurs idées dans le respect, soupèsent les données accessibles, prennent en considération diverses alternatives, avant de choisir l'option politique la plus bénéfique au pays, ou la personne la plus apte à occuper un poste.

Certes, nous délibérons parfois, au sens plein du terme, mais que faisons-nous d'autre ? Que se produit-il dans l'univers politique de la démocratie, outre les délibérations ?

Ces questions ne tendent pas à nier l'importance de la délibération en soi, ni à critiquer les théoriciens qui dressent le constat de ses exigences, comme Amy Gutmann et Dennis Thompson dans leur ouvrage *Democracy and Disagreement*

(Démocratie et désaccord)[2]. Je n'entends pas davantage suggérer que ces deux auteurs, ou tout autre théoricien de la délibération, décrient les activités que je vais inventorier en réponse, même s'ils les définiraient peut-être quelque peu différemment. En effet, je voudrais, dans presque tous les cas, proposer une définition réaliste plutôt que normative, et qui exprime une empathie profonde. Mais j'entends tout d'abord cerner la façon dont la délibération s'inscrit dans un processus politique et démocratique qui, comme il apparaîtra dans mon inventaire, est essentiellement contraire à la délibération. Nous admettrons donc, tout en l'écartant momentanément, la valeur du « raisonnement collectif » tel que le définissent Gutmann et Thompson, où l'activité rationnelle a pour caractéristiques d'être réciproque, publique, et susceptible d'être justifiée. La politique présente d'autres valeurs complémentaires, voire rivales : la passion, l'engagement, la solidarité, le courage et l'esprit de compétition (toutes appellent également à être redéfinies). Ces valeurs trouvent à s'exprimer dans un large éventail d'activités, au cours desquelles hommes et femmes ont parfois l'opportunité de « raisonner ensemble », mais qui seront mieux définies par d'autres termes.

J'ai conçu ma liste de façon à effectuer une distinction aussi nette que possible entre chaque élément et la notion de délibération. Je ne souhaite pas établir ici une opposition radicale, mais souligner des différences importantes, et je reviendrai par la suite à la façon dont ces mêmes activités peuvent s'ouvrir à la délibération ou au débat. Il me faut les envisager séparément avant d'examiner les diverses façons dont elles se recoupent.

1. L'éducation politique. Il faut apprendre aux gens à se comporter politiquement. Une partie de cet enseignement se fait à l'école, soit un résumé sommaire de l'histoire de la démocratie, avec ses dates et ses représentants cruciaux, quelques informations de base sur le système fédéral, les trois instances du pouvoir, le processus électoral et sa durée, voire une présentation des idéologies dominantes, fût-elle caricaturale, etc. Mais les partis, mouvements, syndicats et groupes de pression constituent par ailleurs des écoles en eux-mêmes : ils inculquent à leurs membres les idées qu'ils ont pour tâche de promouvoir. L'« agit-prop », comme l'appelaient les anciens partis communistes, représente une forme d'éducation politique. Les théoriciens partisans de la délibération y verront une mauvaise éducation, un véritable endoctrinement. Ce qui est exact au sens littéral du terme : ces partis et mouvements tentent d'endoctriner leurs adhérents, de les amener à accepter une doctrine, et, chaque fois que possible, à l'incarner, à en répéter les dogmes fondamentaux (au risque d'être mal reçu) — si bien que tout adhérent, une fois endoctriné, se fait le passeur de cette doctrine. Que ce soit là une bonne ou une mauvaise chose, elle est d'une importance capitale dans la vie politique : c'est ainsi que se forme l'identité politique chez la plupart des individus, ceux du moins qui se sont engagés politiquement. C'est ainsi qu'ils deviennent porteurs d'opinion. Certes, le vécu familial contribue tout autant à l'identité politique : les porteurs d'opinion épousent des porteurs d'opinions qui leur ressemblent, pour élever des enfants à qui ils s'efforcent, le plus souvent avec succès, d'inculquer leurs opinions. La socialisation familiale, première initiation à l'éducation politique, n'est autre qu'une forme affectueuse d'agit-prop. Mais les opinions ainsi transmises reflètent des doctrines constituées à l'extérieur du cercle familial, et inculquées dans des lieux publics, par l'entremise des média, qui sont multiples.

2. *L'organisation.* L'un des objectifs que se donne l'éducation politique, ou du moins l'agit-prop et l'endoctrinement, c'est d'inciter les gens à s'identifier avec certaines organisations et de travailler pour elles. Mais l'organisation en soi constitue une activité hautement spécifique : elle implique qu'on persuade les gens de s'inscrire, de s'encarter, de se soumettre à une discipline, d'acquitter une cotisation, et d'apprendre à se comporter en vertu d'un scénario qu'ils n'ont pas écrit eux-mêmes. « L'union fait la force » est une maxime démocratique (et le vers d'une chanson populaire de la gauche américaine) qui reflète l'importance du consensus majoritaire, lequel privilégie l'association et les alliances. Mais les unions, tout comme les armées, s'affaiblissent si leurs membres s'interrompent pour délibérer sur chaque action décrétée par l'état-major. Les chefs délibèrent au nom de tous les autres, en un processus plus ou moins public, de telle sorte que les membres peuvent spéculer sur le résultat desdites délibérations — et parfois soulever des objections. Mais les organisateurs tentent de persuader les individus d'agir collectivement, et non en tant qu'individus adonnés à la spéculation et la délibération.

3. *La mobilisation.* Une action politique de grande envergure ne requiert pas seulement de l'organisation. Les individus, hommes et femmes, doivent être stimulés, provoqués, galvanisés, soulevés, appelés aux armes. Cette dernière méta-

phore est appropriée : une armée peut être une organisation inerte, tenue en réserve, où les soldats au camp demeurent à nettoyer leurs armes et à faire parfois l'exercice. Pour qu'ils combattent, il faut les mobiliser. C'est un peu ce qui se produit dans la vie politique, dont les membres ordinaires doivent être transformés en militants, du moins au cours d'une activité donnée. Il s'agit alors d'exercer une forme d'agit-prop exceptionnellement intense pour attirer leur intérêt, concentrer leur énergie, les regrouper... si bien qu'ils se mettront bel et bien à lire le manifeste du parti, à argumenter en sa faveur, à défiler avec bannières et slogans. Je sais qu'en donnant à voir des hordes d'individus occupés à hurler des slogans, je suggère une stratégie anti-démocratique aux partisans de la démocratie délibérative. Mais la nature d'une politique tient à ses slogans, et ceux-ci sont souvent pro-démocratiques. De fait, ce qu'on pourrait appeler la lutte pour la démocratie délibérative (prônant l'égalité politique, la liberté de la presse, la liberté d'association, les droits civiques des minorités, etc.) a obligé ses partisans à hurler pas mal de slogans. Il est difficile d'imaginer une stratégie démocratique qui fasse l'économie d'une mobilisation populaire. (Quant à savoir si ce devrait être là notre idéal, c'est une question que je ne traiterai qu'en fin de liste).

4. La manifestation. La mobilisation démocratique ne vise pas à envahir les bureaux du gouvernement pour s'emparer littéralement des pouvoirs publics, mais bien plutôt à faire état d'une énergie personnelle, d'une puissance numérique, et d'une conviction doctrinale — toutes trois essentielles au pouvoir du peuple. Ce qui explique les marches et parades, les Congrès des partis, les affiches et bannières, les cris des manifestants, les discours des dirigeants, et les applaudissements sonores qu'ils se doivent d'inspirer. Il n'est pas question ici de délibérer paisiblement, car la délibération ne ferait pas entendre la force de conviction de ces gens-là, leur engagement et leur solidarité passionnés, leur détermination à atteindre un résultat spécifique. Là encore, ils ont des visées démonstratives : il leur faut transmettre un message — parfois à leurs concitoyens en général, parfois à une élite retranchée. Ce message dit plus ou moins : « Nous sommes là, voilà ce qu'il faut faire à notre avis, et ce n'est pas là un avis en passant, ce n'est pas une « opinion » comme on peut en trouver dans les sondages d'opinions, ce n'est pas ce que nous croyons aujourd'hui et pourrions bien nier demain ; nous reviendrons jusqu'à ce que nous ayons gain de cause, et si vous voulez poursuivre vos activités politiques comme de coutume, mieux vaudrait nous céder sur ce point (ou sur cette pétition en dix-sept points). » Certes, le message peut être énoncé sur un ton fanatique qui reflète l'absolutisme idéologique et religieux plutôt que la détermination politique. Manifester ses convictions et ses enthousiasmes n'exclut pas de négocier par la suite : ces deux options ont pu, ensemble, contribuer à la défense des droits démocratiques (voter, faire la grève, s'associer librement), ou de réformes importantes mais contestées, comme l'interdiction de vendre de l'alcool, le contrôle des armes, ou le SMIC.

5. *Les déclarations.* « Faire une déclaration », voilà le but des manifestations, mais les déclarations peuvent s'avérer plus directes. J'ai déjà évoqué le manifeste du parti, adopté et répété par les militants. Parfois il est dans l'intérêt des poli-

tiques de réduire ce manifeste à un simple credo, une simple déclaration affirmant telle ou telle conviction idéologique (à l'image d'une profession de foi dans une communauté religieuse), ou revendiquant telle position sur une question plus immédiate avant de quémander des signatures. Publier ce credo, avec les noms des signataires, c'est signaler au monde l'engagement de ces individus, leur détermination à prendre publiquement position. Les auteurs du credo ont pu délibérer pour savoir ce qu'ils allaient dire, ou, plus probablement, comment le dire, et tous ceux à qui on a réclamé une signature ont sans doute délibéré pour savoir s'ils allaient signer ou non. Mais le credo lui-même se présente comme une affirmation, qui n'a guère de chances d'être modifiée sous le coup d'affirmations contraires. Lorsque la polémique fait rage, les journaux et les magazines regorgent de déclarations de ce style, pour ou contre telle ou telle politique ; toutefois ces déclarations prises dans leur ensemble ne constituent pas une délibération démocratique, puisque les différents groupes d'auteurs et de signataires n'avancent pas toujours d'arguments. Lorsque c'est le cas, il est rare qu'ils lisent ceux des autres (quoiqu'ils examinent en général la liste des signatures).

6. Le débat. L'échange de déclarations aboutit à une sorte de débat, même si nous attendons généralement des participants qu'ils communiquent directement entre eux, qu'ils s'affrontent dans la controverse avec plus de vivacité, plus de spontanéité, plus de ferveur que dans un échange formel de credos et de déclarations. Il leur faut s'écouter mutuellement, mais cette écoute ne génère en aucun cas un processus de délibération. En effet, ils n'ont pas pour objectif d'aboutir à un consensus mutuel, mais d'emporter le débat en persuadant l'auditoire que leur position, de préférence à toutes les autres, est la meilleure. (Certains membres de l'auditoire peuvent alors délibérer entre eux ou en leur for intérieur, passer mentalement en revue les différentes positions). Débattre, c'est s'affronter entre athlètes du verbe, et l'important c'est de gagner. On y parvient en pratiquant l'art de la rhétorique, en rassemblant des témoignages en sa faveur (voire, en supprimant les témoignages défavorables), en discréditant ses adversaires, en faisant valoir son autorité ou sa gloire, etc. C'est ce qui apparaît clairement lors des débats parlementaires, ou des débats électoraux. Mais c'est également ce qui prime dans les tournées de conférences ou dans les journaux et les magazines, chaque fois que les tenants de positions diverses se voient conviés à dialoguer en adversaires. L'autre devient le rival, et non le coopérant ; leurs opinions sont déjà engagées, ils ne peuvent plus être convaincus ; là encore, ils veulent s'acquérir un public dont une grande partie n'est venue que pour encourager leur propre parti — ce qui peut également s'avérer une activité politique efficace.

7. *Le marchandage.* Les positions défendues dans tels ou tels manifestation, pamphlet ou débat ont parfois fait l'objet d'une délibération, mais très souvent elles sont le fruit de négociations longues et complexes entre des individus calculateurs et opiniâtres. Elles ne représentent donc pas ce qui, de l'aveu général, devrait être la meilleure position, mais un compromis qui ne satisfait entièrement personne. Elles reflètent un équilibrage des forces en présence, et non le poids d'arguments décisifs. Le plus souvent, ce marchandage ne débute que lorsque les forces relatives des partis concernés

ont été éprouvées; parfois, il a pour but d'éviter d'autres épreuves, coûteuses ou sanglantes. Les partis se mettent d'accord entre eux pour aboutir à un compromis, et le partage se fait à l'aune des épreuves de force qui l'ont précédé[3]. C'est ainsi qu'aux États-Unis, le pouvoir représentatif est également réparti entre le Président et le Vice-président des États-Unis. Et les choix politiques d'un gouvernement démocratique résultent plus souvent d'un compromis de cette sorte que d'un processus de délibération. La meilleure stratégie revient à concilier le plus possible d'intérêts, ou, mieux encore, à sauvegarder ceux-là mêmes qu'on pourra légitimer politiquement (c'est pourquoi l'organisation et la mobilisation représentent des atouts capitaux). Je peux imaginer qu'on débatte pour savoir comment servir le bien commun, en priorité et au-delà des intérêts particuliers, à cette réserve près qu'il importe aussi de servir les intérêts particuliers. Or c'est là une réserve des plus exigeantes, qui suscitera forcément une forme de troc plutôt qu'une activité de délibération. Gutmann et Thompson plaident en faveur d'une distinction entre un « marchandage intéressé » et des concessions réciproques, lesquelles représentent un procédé plus authentiquement délibératif[4]. Je soupçonne toutefois que dans le domaine politique, cette réciprocité est toujours infléchie par l'intérêt, exposée aux conflits. La délibération, par contraste, apparaîtra plus clairement si nous lui donnons pour modèle un jury, ou une commission juridique. Nous serions indignés si, au cours d'un procès, juges et jurés se mettaient à marchander entre eux, ou à s'accorder mutuellement des concessions: « Je voterai comme toi au premier tour si tu votes comme moi aux deuxième et troisième. ». Nous voulons les voir peser de leur mieux les témoignages avant de rendre un verdict, soit un « jugement vrai » (*verum dictum*) décrétant l'innocence ou la culpabilité. Mais les hommes politiques peuvent accomplir en toute légitimité ce qui est interdit aux jurés et aux juges ; de fait, la sagesse, en politique, consiste essentiellement à savoir marchander.

8. Le lobbying. L'emprise des intérêts privés sur les pouvoirs publics est un trait marquant de la vie politique, qu'elle ait ou non pour cadre la démocratie. Dans les démocraties, les intérêts privés ne se contentent pas de marchander avec les pouvoirs publics : ils plaident leur cause auprès d'eux, ou du moins leur fournissent des arguments, puisque les représentants de la démocratie devront défendre leurs positions dans tel ou tel forum. Mais pour être véritablement efficace, le *lobbying* implique qu'on noue des relations privées, voire intimes : il repose sur des réseaux mondains et des amitiés personnelles. Pour exercer une pression efficace, un groupe compense en offensives de charme, en prises de contact, en acquis d'information, son absence d'arguments convaincants. Et très souvent, les arguments qu'il avance ne concernent pas tant la question débattue que l'avenir politique du pouvoir sur lequel il exerce sa pression.

9. Les campagnes. Cette métaphore militaire sert parfois à désigner tout un programme coordonné d'organisation, de mobilisation, de manifestation, etc. pour une Cause donnée. Mais j'entends ici ne définir que les campagnes électorales, soit la collecte démocratique des suffrages. Elles impliquent manifestement la plupart des activités inventoriées ci-dessus, mais présentent par ailleurs des caractéristiques propres — en partie parce qu'elles se concentrent, même lorsque les partis politiques sont puissants, sur des individus particuliers, soit des dirigeants pourvus d'un nom, d'un visage, d'un parcours personnel, autant que d'un programme. Ce sont ces dirigeants qui sont au centre de la campagne : ils sollicitent activement les votes de leurs concitoyens, font des promesses en tentant d'avoir l'air crédible, et jettent le soupçon sur leurs adversaires. Il est facile de se les figurer à l'œuvre, limités par un certain nombre de règles morales ou légales qui définissent « une campagne juste et loyale », quoique, de nos jours, les seules limites véritablement efficaces sont celles qu'impose l'opinion publique. Comment se figurer les règles d'une campagne juste et loyale ? Elles ne ressembleraient guère à celles qui déterminent le cours d'un procès, parce que, là encore, nous nous refusons à établir une comparaison entre les électeurs d'un côté, et les jurés ou les juges de l'autre.

*10. Le vote.*Que devraient faire les citoyens lorsqu'ils votent ? Manifestement, ils devraient prêter attention aux arguments invoqués par les différents candidats, énoncés dans les programmes des partis. Ils devraient estimer les conséquences en cas de victoire de tel ou tel candidat, non seulement pour eux, mais pour les groupes dont ils sont membres, et pour la nation toute entière. Néanmoins, les citoyens pris dans leur ensemble ne constituent pas un comité d'enquête chargé d'élire après délibération le candidat le plus apte à siéger au Sénat, ou à la présidence. Les membres d'un comité d'enquête ressemblent aux jurés et aux juges dans la mesure où l'on suppose (parfois à tort) qu'ils se sont mis d'accord sur le profil du poste à pourvoir, et qu'ils procèdent à une élection impartiale du candidat. Pour certains, c'est sa ténacité et son engagement sur telle ou telle question qui qualifient un individu à être président ; pour d'autres, c'est une ouverture générale aux compromis. Certains s'identifieront au candidat X parce qu'il a défendu leurs intérêts ou leurs valeurs par le passé, d'autres au candidat Y parce qu'il appartient à leur communauté ethnique ou religieuse, ou à leur syndicat, ou à leur groupe d'intérêts, ou parce qu'il a eu le même parcours politique. Il est certain que, là encore, nous aimerions voir les électeurs peser soigneusement les témoignages disponibles, méditer de toutes leurs forces sur les arguments des candidats et des partis en rivalité. Pour autant, ils n'iront pas se disqualifier eux-mêmes si, en raison de leurs intérêts présents, ou de leurs engagements à long terme, ils ne peuvent ou ne veulent accorder une égale attention à chacun des candidats en lice. De même qu'on ne les empêchera pas de sélectionner les questions sur lesquelles focaliser leur attention pour des raisons qui ne sont pas de nature délibérative. De fait, les électeurs ont le droit de sélectionner questions et candidats selon leurs intérêts, leurs passions ou leurs engagements idéologiques, et c'est ce que font la plupart. Quitte à énoncer une vérité générale, disons que les questions sur lesquelles les citoyens délibèrent (ou refusent de délibérer) émergent au cours d'un processus politique qui n'a rien de délibératif. C'est en mobilisant passions et intérêts que nous sommes obligés d'aborder ce qui est devenu — sous l'effet de la mobilisation — le « problème » de la pauvreté, ou de la corruption, ou de l'exploitation.

11. La collecte de fonds. L'argent est le nerf de la politique. Même avant l'ère de la télévision, il fallait lever des fonds pour payer les employés, pour financer les pamphlets, les circulaires, les publicités, les courriers collectifs, les déplacements des candidats, les salles de réunions et les meetings. Rien n'est plus courant dans la vie politique que les diverses activités regroupées sous l'appellation « collecte de fonds ». Dans l'histoire des États-Unis, on peut dire qu'elles ont fourni les meilleurs exemples de démocratie participative, précisément parce qu'elles n'exigent pas qu'on examine les problèmes, qu'on en débatte publiquement, qu'on fasse des discours ou qu'on siège à des commissions délibératives. Certes, il n'appartient pas aux citoyens ordinaires d'aller quémander auprès des riches citoyens, mais les collectes de fonds à moindre échelle — les tombolas, les ventes de charité, les stands de gâteaux, les dîners dansants, où l'on « fait passer le chapeau » — tout ceci représente une activité collective impliquant des milliers d'hommes et de femmes. Et, à n'en pas douter, l'argent ainsi récolté forge un lien: les gens qui l'ont donné, et les gens qui ont aidé à l'obtenir, sont plus loyaux à la Cause, ou le demeurent plus longtemps que ceux qui la trouvent juste pour telle ou telle raison.

12. La corruption. Ce terme, en soi des plus péjoratifs, recouvre toute une série d'activités, dont le pot-de-vin et l'extorsion de fonds sont les formes les plus évidentes et sans doute les plus communes, et que l'exercice de la démocratie ne saurait accomoder. Ces activités, prises dans leur ensemble, constituent l'unique exemple négatif de ma liste, et ce qui m'intéresse ici, c'est de justifier leur exclusion. Non seulement la corruption représente en soi une activité non-délibérative (ceux qui la pratiquent peuvent certes se consulter pour décider qui corrompre, et à quel prix !), mais elle interfère avec la délibération. C'est pourquoi elle est tabou dans certains contextes sociaux ou exécutifs, mais ce n'est pas la raison pour laquelle elle est exclue de *la* scène politique par excellence — cette arène que constituent les stratégies électorales. Acheter des juges et des jurés, c'est mal, précisément parce qu'il en résulte une situation qui ne reflète pas un processus impartial de délibération. Acheter les membres du gouvernement qui octroient permis et subventions, c'est mal parce qu'il en résulte une situation qui ne reflète pas une quête authentique de gens qualifiés et de projets utiles. Mais acheter des votes n'est une mauvaise chose que parce que cela fausse la représentation démocratique des électeurs, et non une quelconque action qu'on attendrait d'eux ; nous n'avons qu'une idée vague de leurs intérêts, de leurs inquiétudes, ou de leurs opinions. Démocratiquement, ce n'est pas très légitime, mais on ne saurait parler d'un acte illégitime dans la mesure où la raison impartiale n'a pas œuvré à le produire. Un candidat qui promet de réduire le chômage séduit, dirons-nous, les intérêts instinctifs des chômeurs (et de tous leurs proches et amis), sans que cette séduction corrompe le cours des affaires politiques. De fait, elle a pour conséquence importante et entièrement légitime de nous faire voir combien de gens partagent ces intérêts spécifiques, combien leur donnent la priorité. Pour autant, le candidat ne saurait embaucher les chômeurs en contrepartie de leurs suffrages.

13. Les basses tâches. Un engagement politique actif tient pour beaucoup à des tâches ennuyeuses et répétitives qui peuvent assurer le succès des organisations et des campagnes, mais qui n'ont rien de politique en soi : remplir des enveloppes, disposer des chaises, préparer des affiches, distribuer des tracts, passer des coups de téléphones (pour quémander dons ou signatures, pour convaincre les gens de se rendre aux meetings ou de voter le jour des élections), faire du porte-à-porte, tenir le stand des livres dans les réunions du parti, etc. Tout ceci n'a rien d'intellectuel, mais on réfléchit souvent à deux fois, parfois avec une certaine candeur, pour se décider à le faire. Puisque les basses tâches sont incontournables — « il faut bien que quelqu'un s'en charge » — on peut s'attarder un moment sur ce qui motive leurs exécuteurs. Manifestement, l'engagement personnel joue ici un rôle majeur, mais je crois important de préciser qu'il s'inscrit dans un contexte de rivalité. L'esprit de compétition, le désir de l'emporter, la crainte de perdre... voilà qui incite les gens à accepter des tâches qu'ils refuseraient sinon d'accomplir. Même lorsque la politique devient un jeu dangereux, on recrute sans trop de difficulté ces exécuteurs des basses tâches : le danger a ses charmes. Certes, des individus adonnés par nature à la délibération peuvent se refuser à remplir des enveloppes, quand bien même personne ne menacerait de les passer à tabac. Ils risquent d'être trop occupés à lire des notes d'information, sans se laisser toucher par l'esprit de compétition. Or les basses tâches sont régulièrement accomplies, ce qui prouve par excellence l'importance symbolique des activités politiques non-délibératives.

14. Le gouvernement. Si les basses tâches constituent le bas-fond des activités politiques, l'autorité gouvernante règne au sommet. Aristote a donné cette définition de la citoyenneté démocratique : « gouverner et être gouverné tour à tour ». Or c'est la première activité qui prime dans les consciences : on n'accepte « d'être dirigé » que pour se plier à la doctrine démocratique. Pour que chacun fasse l'expérience du gouvernement, il faudrait instaurer des tours. En pratique, bien sûr, certains gouvernent sur de longues périodes; d'autres sont d'éternels gouvernés. Ce qui distingue le gouvernement démocratique de la dictature, c'est que les gouvernants sont légitimement élus par consentement général. Légitime ou non (la domination s'exerce même en démocratie), ce gouvernement représente pour la plupart des dirigeants une activité fort plaisante. Pour Aristote, ce plaisir provenait sans doute en partie de ce qu'ils exercent leur raison sur une vaste échelle, soit l'ensemble des questions publiques. A cet égard, le gouvernement représente une activité délibérative. Mais les plaisirs de l'autorité ne sont pas entièrement rationnels, sans quoi l'on ne chercherait pas si ardemment à gouverner. Et il arrive que nous réclamons des dirigeants qui ne délibèrent pas outre-mesure, et chez qui les « natives couleurs de la décision » ne soit pas, comme chez Hamlet, « affaiblies à l'ombre de la pensée »[5].

II.

Telle est ma liste, et si je n'avais pas posé dès mon titre la question du « mais encore », je ne saurais dire quelle place j'y aurais ménagé à la délibération. Faut-il l'inclure dans la série qui comprend « organisation », « mobilisation », « manifestation », etc. ? Si nous prenons l'activité juridique pour modèle du processus délibératif, la réponse est sans doute négative. Certes, les Cours de justice sont des institutions politiques dans la mesure où elles relèvent des structures constitutionnelles : elles entrent parfois en conflit avec les représentants de l'autorité législative et exécutive. Mais, en principe, les considérations politiques ne doivent pas intervenir dans le cadre d'un procès en pénal ou aux assises, pour la raison suivante : on suppose en règle générale que ce procès aboutira à un verdict unique et juste ; juges et jurés conjuguent, ou devraient conjuguer, leurs efforts dans ce but. Ces postulats ne tiennent plus dans la vie politique, qui repose sur une opposition de partis, et qui, de sa nature même, est faite de conflits permanents. Il existe très peu de décisions politiques qui constituent des « verdicts » au sens littéral du terme. Certes, nous insistons parfois sur la nécessité morale de prendre telle ou telle décision, et pourtant, même si elle suscite un consensus général quant à sa nature et à son urgence, il est probable que les moyens, les délais et les coûts de sa mise en œuvre prêteront à controverse.

Sans aller jusqu'à reprendre les idées de Carl Schmidt sur la politique, on peut admettre que les intérêts et les engagements idéologiques, dans leur diversité, sont souvent inconciliables. Certes, les partis opposés négocient des compromis, qu'ils finissent par admettre, tout en gardant sans doute l'impression d'avoir perdu quelque chose au cours des négociations : ils se réservent le droit de reprendre les débats en des circonstances propices. Aux États-Unis, un citoyen ne peut être jugé deux fois pour le même chef d'accusation, mais cette protection ne vaut pas pour les hommes politiques qui doivent sans cesse affronter les mêmes défis, les mêmes problèmes. Les compromis de longue durée sont rares en politique, précisément parce qu'il nous est impossible d'aboutir au moindre verdict en matière de controverse. Les passions retombent ; les individus, hommes et femmes, abandonnent leurs engagements personnels ; les groupes de pression forment de nouvelles alliances ; le monde suit son cours. Mais certains désaccords profonds, entre droite et gauche, par exemple, se prolongent étonnamment ; certaines formes locales de conflit ethnique ou religieux s'inscrivent souvent dans une culture politique au point de paraître naturelles aux participants. La politique est un éternel retour à ces désaccords et à ces conflits, une lutte incessante pour les contenir, et, simultanément, pour remporter toutes les victoires au court terme qui se présentent. Gagner démocratiquement, c'est éduquer, organiser, mobiliser... plus de gens que l'adversaire. « Plus », voilà ce qui légitime une victoire. L'on peut certes renforcer cette légitimité en avançant des arguments valables sur les points essentiels, mais la simple force de conviction suffit rarement à assurer la victoire.

Notre premier devoir n'est-il pas du moins de mobiliser les arguments les plus convaincants possibles ? Pour les théoriciens de la délibération, c'est là une sorte de condition morale, dès lors que nous reconnaissons en nos concitoyens des hommes et des femmes doués de raison, capables d'éprouver la force de nos revendications (ou, à moindre mesure semble-t-il, de nous faire éprouver la leur). Mais il est une autre façon de reconnaître les autres : non seulement comme des individus doués de raison, à notre image, mais aussi comme les membres de groupes dotés de convictions et d'intérêts tout aussi importants pour eux que les nôtres pour nous. Si la première forme de reconnaissance aboutit à la délibération, c'est le compromis qui résulte de la seconde. Et en politique, le compromis représente souvent la solution la plus appropriée, y compris d'un point de vue moral : mieux nous comprenons les différences qui existent réellement, mieux nous respectons les gens de « l'autre bord », et plus nous réalisons que ce qu'il nous faut, ce n'est pas un consensus rationnel, mais un *modus vivendi*.

Si j'omets la délibération dans mon inventaire, ce n'est pas seulement parce que le conflit politique est permanent. C'est, plus précisément, parce que l'inégalité prévaut. L'histoire de la politique, lorsque sa rédaction n'est pas régie par l'idéologie, consiste essentiellement à narrer la lente création, ou la lente consolidation, des hiérarchies de la fortune et du pouvoir. Certains se fraient un chemin jusqu'au sommet de ces hiérarchies avant de s'efforcer, du mieux qu'ils peuvent, de maintenir leur position. La « classe dominante » manque peut-être plus de cohérence que ne le suggèrent les théories marxistes ; toutefois, il existe quelque chose de ce genre, plus ou moins consciente d'elle-même, et qui vise à se perpétuer. L'organisation du peuple et la mobilisation de masse demeurent les seuls moyens de contrer cette visée. Ils n'ont pas pour effet — pas pour l'instant, du moins — de niveler les hiérarchies, mais simplement de leur infliger une secousse, d'y faire pénétrer de nouveaux membres, et peut-être de fixer des limites aux différences qu'elles définissent et instaurent. L'exercice de la démocratie rend possible une version atténuée de l'histoire de la politique : à présent, cette histoire est celle des institutions, et elle aboutit à « désinstitutionnaliser » en partie l'inégalité. Je ne vois aucun moyen d'éviter qu'elle ne se répète éternellement — même si, indéniablement, certains établissements sont pires que d'autres, et que la « désinstitution » va plus loin dans certains cas. Plus précisément, je ne vois aucun moyen de substituer un processus de délibération à ce combat toujours renouvelé.

On ne saurait nier que la démocratie délibérative reflète une théorie égalitariste. Elle postule l'égalité des hommes et des femmes qui prennent la parole pour débattre et, en conséquence, elle produit et justifie des décisions égalitaires. Ce processus est volontairement conçu pour récuser l'accusation selon laquelle les meilleures réflexions des meilleurs penseurs, les délibérations les mieux organisées, ne reflètent rien de plus que les intérêts des puissances actuelles (« les idées qui dominent... sont celles de la classe dominante »). Un processus délibératif digne de ce nom exclut tout simplement ces puissants intérêts dans leur ensemble — il exige des participants qu'ils délibèrent derrière un voile d'ignorance, par exemple, ou encore il équilibre les intérêts en garantissant qu'ils sont tous, y compris ceux des groupes faibles et opprimés, également représentés dans les discussions. Mais tout ceci ne peut s'accomplir que dans une ère et un lieu utopiques : dans le monde réel, les théories de la démocratie délibérative semblent déprécier la seule espèce de politique capable d'instaurer un égalitarisme pragmatique. Ses protagonistes, je l'ai dit, sont égaux à l'origine, sans toutefois s'être jamais battus pour ce statut précaire (inutile d'envisager ici la façon dont ils pourraient l'acquérir ; ce n'est pas l'objet du propos). Ainsi, leurs débats idéalisés n'ont que peu de chances de se concrétiser, ou d'être efficace, dans tout régime politique actuel.

Faut-il chercher à les concrétiser ? Est-ce là notre utopie, le rêve des démocrates engagés — un monde où le conflit politique, la lutte des classes, les différences ethniques et religieuses, le céderaient à la délibération pure et simple ? Comme l'a récemment suggéré Joseph Schwartz dans un ouvrage tiré de sa thèse, *The Permanence of the Political*[6](La Permanence du politique), les théoriciens de gauche ont souvent argumenté comme si c'était là leur but suprême. Il en va ainsi des théories marxistes : le conflit surgit en raison de différences et de hiérarchies sociales, et une fois que la lutte des classes aura été remportée avec l'établissement d'une société sans classes, une fois que les différences auront été transcendées et les hiérarchies détruites, l'État périra sur pied, et au gouvernement des hommes succédera l'administration des affaires — c'en sera fini de l'ère politique. Ce genre de théories, affirme Schwarz avec raison, reflète une incapacité à comprendre (et apprécier, qui plus est) les formes diverses et variées que revêtent la différence humaine et le conflit social. La différence, voilà ce qui, plus que tout, inspire le malaise, lequel suscite à son tour une certaine méfiance à l'égard de la politique, et le désir d'en finir avec elle. Or il semble peu probable qu'on puisse l'abolir, sauf à réprimer ensemble les différences et les conflits, avec des mesures hautement coercitives. Cette répression, j'en suis certain, ne reviendrait qu'à défendre les idées que ces théoriciens et leurs amis ont longuement et intensément cogitées, lorsqu'ils se livraient à la délibération dans des cadres imparfaits, mais plausibles — des séminaires universitaires, des communautés d'intellectuels exilés, ou des partis d'avant-garde. Toutefois, les démocrates engagés ne sauraient guère approuver la répression (ou les inégalités qu'elle implique si visiblement).

III. La délibération a son rôle à jouer, un rôle important dans l'exercice de la démocratie, mais non pas, à mon sens, un rôle indépendant — en l'absence de partenaires, pour ainsi dire. On ne saurait trouver en politique un cadre tout à fait équivalent à cette salle où un jury se réunit pour délibérer — où l'on n'attend rien de lui, sinon qu'il délibère.

De même, quoiqu'on insiste souvent sur l'importance suprême de la concertation en politique, il n'est aucune commission qui opère tout à fait à la façon d'une commission de spécialistes chargée d'élire un professeur d'Université, ou d'un jury littéraire tentant d'identifier le meilleur roman de l'année. Interroger des candidats, décerner des prix, ce sont bien sûr des tâches souvent politisées, mais on remet alors en question les résultats obtenus. A l'inverse, on postule que les considérations politiques prédomineront dans les comités d'un parti ou d'un mouvement, voire dans les commissions législatives ou administratives. Du moins évoque-t-on ces considérations, à juste titre : en leur absence, tout le processus démocratique poserait problème. Figurez-vous un groupe de bureaucrates occupés à délibérer très sérieusement des heures durant, avant de faire ce qui, d'après leurs conclusions, doit être fait — sans prendre en compte les préférences avérées d'une majorité de gens, ou les intérêts de groupes coalisés formant la majorité, quelle qu'elle soit (c'est bien la mission d'un jury). La stratégie retenue par ces bureaucrates, quand elle serait la « meilleure », n'est pas celle qui convient à un gouvernement démocratique.

La démocratie exige une forme de délibération, soit une culture du débat, tout comme elle exige un ensemble de citoyens prêts à accepter, du moins en principe (et parfois en pratique), les meilleurs arguments. Mais ce « débat » ne saurait se produire excluant toutes les autres activités citoyennes. Le débat pur et simple, la délibération-en-soi n'ont aucun sens : il est impossible, maintenant comme toujours, d'assigner ces activités à un groupe de personnes. La majorité des controverses qui apparaissent sur la scène politique ne laissent jamais émerger un argument parfait, capable de convaincre également des individus prônant différentes philosophies, différentes croyances, différents intérêts économiques, et venus de différents horizons sociaux. C'est pourquoi le résultat obtenu n'est jamais le fruit de la pure délibération : il est le produit d'une politique, au sens plein du terme.

La délibération s'inscrit au sein d'autres activités qu'elle ne définit ni ne contrôle. Nous lui assignons une place, comme il se doit, dans l'ensemble général des activités politiques.

Nous tentons d'insuffler une certaine dose de réflexion sereine et de débats raisonnés dans, mettons, l'exercice de l'éducation politique. Même l'agit-prop peut progresser vers le meilleur ou le pire : mieux vaut appuyer son argumentation sur des données véridiques, la mobiliser pour les questions les plus complexes, les défis les plus ardus rencontrés par le parti ou le mouvement qu'elle sert. De même, nous pouvons nous figurer ce que serait le programme d'un parti conçu par un groupe de personnes qui non seulement seraient de bons négociateurs, mais des individus réfléchis, hommes et femmes, à la recherche de propositions moralement justifiées et économiquement réalistes, tout autant que politiquement séduisantes. Nous pouvons nous figurer des négociations où les gens tenteraient de comprendre et d'accommoder les intérêts de l'adversaire sans cesser pour autant de défendre les leurs, mais sans vouloir à tout prix les privilégier. Nous pouvons nous figurer des débats parlementaires où les orateurs s'écouteraient mutuellement en se montrant prêts à revoir leurs positions. Enfin, nous pouvons nous figurer des citoyens qui réfléchiraient véritablement au bien commun au moment de jauger des candidats, des programmes politiques, les marchés conclus par leurs représentants, ou les argumentaires de ces derniers.

Il ne faut pas beaucoup d'imagination pour se figurer tout cela, même si la réalité est rarement à la hauteur. De fait, à un niveau quelque peu inférieur, la démocratie réelle demeure toujours une culture du débat — à tel point que les loyaux exécuteurs des basses tâches poursuivent leurs discussions politiques tout en remplissant les enveloppes, et se disputent violemment pour savoir si un énième mass mailing sera utile au Parti, à ce moment précis. Je n'entends pas par là dénigrer des discussions de ce type, ou de nature plus « élevée ».

Certes, ceux d'entre nous partisans d'une société plus égalitaire doivent en défendre l'hypothèse, esquisser un portrait de ce qu'elle pourrait être, un portrait aussi plausible et séduisant que possible. C'est là notre utopie. Toutefois, arguments et esquisses seront utopiques au mauvais sens du terme — ce seront des définitions sentimentales, auto complaisantes, d'un « nulle part » — à moins de mobiliser les hommes et les femmes qui subissent réellement (ou sympathisent avec) les maux sociaux et les traumas de l'assujettissement. Ces gens-là devraient eux aussi prendre part aux débats portant sur le bien commun et sur l'égalité, sur les mesures à prendre pour aboutir à davantage d'égalité, mais, conjointement, s'engager, à mener des tâches plus terre à terre.

Je souhaite que cette délibération « parallèle et conjointe » concerne d'autres activités, et elle a plus de chances de se réaliser si les activités politiques se déroulent au grand jour, publiquement, avec des activistes et des fonctionnaires tenus de rendre compte de leurs faits et gestes dans un contexte démocratique. Si le débat est nécessaire à la démocratie, la culture du débat est pour sa part renforcée par les institutions et les pratiques ordinaires de la démocratie : élections, rivalité des partis, liberté de la presse, etc. Est-il d'autres arrangements pratiques qui pourraient avantager les citoyens, ou les forcer à réfléchir au bien commun ? C'est là une question importante, qu'aborde de façon très innovante James Fishkin dans un certain nombre d'ouvrages récents. Mais je ne crois pas que ces arrangements, quels qu'ils soient, puissent ou doivent se substituer aux activités que j'ai énumérées[7]. Fishkin plaide en faveur de « jurys de citoyens » à qui on demanderait de proposer des solutions plus ou moins tranchées à des problèmes cruciaux en matière de vie publique. Pour former ces jurys, les stratégies électorales ordinaires le cèderaient à une sorte d'échantillonnage scientifique ; lorsque ces jurys se réuniraient, la discussion rationnelle remplacerait les débats politiques habituels. Mais cet exemple illustre le problème essentiel de la démocratie délibérative : la délibération-en-soi n'est pas une activité propre au *demos*[8], au peuple. Ce qui ne signifie pas que les hommes et femmes ordinaires n'ont aucune capacité de raisonnement, mais simplement que lorsqu'ils sont 100 millions, ou ne fût-ce qu'un million ou 100000, ils ne sauraient « raisonner ensemble ». Et ce serait une grosse erreur que de les détourner des activités qu'il est en leur pouvoir de mener ensemble. Car ils cesseraient alors d'opposer des actions efficaces aux hiérarchies établies de l'argent et du pouvoir. Les séquelles politiques d'un tel détournement se laissent facilement prédire : en détournant ces citoyens, on leur ferait perdre les combats qu'ils veulent sans doute remporter, et qu'ils auraient tout intérêt à remporter.

Demain, lors de ma dernière conférence, je développerai un argument que je n'ai fait qu'effleurer aujourd'hui : l'engagement passionné d'un grand nombre de gens est nécessaire pour mener une politique démocratique et égalitaire. Dans le registre politique, la passion est une notion qui a toujours angoissé les théoriciens libéraux, qui leur a souvent fait froncer le sourcil, non sans raison. Et pourtant, une politique dépassionnée recouvre, nous le verrons, des dangers spécifiques — dont l'un, et non le moindre, est qu'elle court le risque de la défaite.

Chapitre trois
Politique et passion

Les controverses théoriques qui, de nos jours, portent sur le nationalisme, les politiques identitaires et le fondamentalisme religieux, recouvrent un enjeu caché : la passion. Les adversaires de ce phénomène craignent la rhétorique véhémente, l'engagement irréfléchi, la rage sectaire qu'ils relient mentalement à l'apparition, sur la scène politique, d'invidus passionnés — hommes et femmes. Passion qui, à leur sens, est tributaire d'une identification collective et d'une croyance religieuse, lesquelles susciteraient chez les individus des comportements imprévisibles, sans rapport avec l'intérêt personnel, et ne résultant pas d'un ensemble de principes susceptibles d'être défendus rationnellement.

Les intérêts peuvent se négocier, les principes peuvent prêter à débat : les uns et les autres, ils représentent des processus politiques qui, en théorie comme en pratique, circonscrivent le comportement de ceux qui les adoptent. Mais la passion, à cet égard, ne connaît pas de borne : elle emporte tout sur son passage. Si on lui oppose la contradiction ou le conflit, elle progresse inexorablement vers des résolutions violentes. La politique « bien entendue », la politique en tant qu'activité raisonnable et libérale, est affaire de calme délibération, ou — si l'on admet, même partiellement, les arguments de la conférence précédente — de concessions mutuelles, d'échanges, d'ajustements et de compromis. La passion, elle, est toujours impétueuse, immédiate, de l'ordre du « tout ou rien ».

Et pourtant, dans de nombreux continents, y compris le nôtre, d'immenses collectivités humaines vivent un engagement politique, et le vivent passionnément. Ce spectacle est souvent effrayant ; je n'entends pas ici nier cette peur, je ne nie pas avoir été moi-même effrayé. Ce n'est pas juste ce qu'on lit trop souvent dans la presse : les négociations interrompues, les débats suspendus, les dirigeants furieux quittant les réunions de comité en claquant la porte. Ce n'est pas juste tous ces gens qui défilent sous les bannières d'une religion identitaire (au lieu de se rallier à des principes politiques ou à des intérêts économiques). La passion est également mobilisée au service de conflits religieux et ethniques où les gens se détruisent mutuellement, où elle suscite une cruauté terrifiante : « nettoyage ethnique », viols et massacres. La passion provoque la guerre, non pas de tous contre tous, ni de tout un chacun contre son prochain (car ce type de guerre analysé par Hobbes demeure une activité rationnelle, due à ces phénomènes universels que sont la méfiance et la crainte), mais d'un petit nombre contre un autre, d'un groupe contre un autre, animés par la haine pure et simple.

Comment devons-nous comprendre tout cela ? Je commencerai par demander : comment, dans les faits, le comprenons-nous ? Quelle représentation mentale nous faisons-nous de la passion, et de sa place dans la vie politique ? S'il est une image qui domine chez nos contemporains — intellectuels libéraux, universitaires, sociologues et politologues, journalistes et commentateurs (lorsqu'il faut parler de la

Bosnie et du Rwanda, par exemple), c'est celle que suggèrent assez bien ces vers célèbres du poème de William Butler Yeats[1], *La Seconde Venue* :

> *Tout va se disloquer ; le centre ne tient plus ;*
> *Le monde est envahi par la simple anarchie,*
> *Le flux sombre de sang qui déferle partout*
> *Noie la cérémonie où naissait l'innocence ;*
> *Les meilleurs manquent de foi, tandis que les pires*
> *Sont animés d'une passion intense.*

Lorsque j'ai entendu ces vers pour la première fois, c'était vers la fin des années quarante ou au début des années cinquante, pendant l'ère McCarthy, et j'ai pris Yeats pour un poète américain contemporain avant d'être détrompé. Pour moi, il écrivait sur ma propre époque, que je croyais être la sienne. Je soupçonne que ce poème éveille souvent ces échos intimes (chez Erich Kahler, notamment, qui le traduisit en allemand alors qu'il vivait à Princeton, dans le New Jersey : Kahler avait fui l'Allemagne nazie[2]), et c'est pourquoi je voudrais l'analyser pour mieux comprendre le rôle que joue la passion en politique. Ou du moins m'efforcer de le comprendre, en interrogeant le sens et l'impact de ces vers. Mais je garderai également en tête la façon dont, actuellement, se manifestent ces individus que Yeats qualifie de « meilleurs » et de « pires ».

Pour bien comprendre cette manifestation, pour comprendre ceux d'entre nous qui croient appartenir aux « meilleurs », il faut, dit Yeats, commencer par tenir un discours auto-critique. Si le centre ne tient plus, c'est à cause de nous : la faute en revient à notre propre faiblesse, intellectuelle et morale. Nous avons perdu la « foi » dans nos intérêts et nos principes, et ne pouvons dès lors l'emporter sur la « passion intense » des autres. Il y a entre eux et nous une distinction évidente. Nous sommes des gens éduqués, libéraux, raisonnables, et lorsque nos convictions sont fortes, notre société toute entière l'est également. Lorsque le monde fait sens, lorsque l'ordre est intelligible et la justice bien défendue, lorsque les convenances sociales prévalent, nous formons le centre et nous savons contenir le moindre désordre. La passion est alors l'apanage des autres, le « flux sombre de sang » qui remonte en bouillonnant des profondeurs lorsque le centre s'effondre (l'image est de moi, cette fois !). A un moment donné, on peut identifier sans peine le raz-de-marée — ou du moins le désigner, car l'analyse sociologique ne va pas sans controverses — et le poème semble suggérer que nous devrions, sans toujours y parvenir, mobiliser assez de conviction pour le refouler.

Yeats lui-même n'aurait sans doute pas interprété son propre poème dans ma perspective. Yvor Winters, dans une étude très convaincante, le replace dans le contexte de la vie politique irlandaise, et de la vision personnelle de Yeats (où l'histoire contemporaine prend la forme d'une mythologie). Les « pires », dans l'esprit du poète, ce sont les politiciens irlandais qui, en 1916, au lendemain de l'Insurrection de Pâques, s'efforçaient d'établir en Irlande un État démocratique sous leur gouvernement (le poème date de 1919 ou 1920). Et le mot « meilleurs » renvoie à la vieille aristocratie anglo-irlandaise, dont les membres manquaient de volonté pour prendre le pouvoir dans ces années difficiles. Toutefois le poème ne cherche pas à critiquer leur faiblesse : le triomphe des « pires » représente une phase nécessaire, laquelle aboutira à l'une de ces grandes transformations cycliques qui, dans l'esprit de Yeats, donnent sa forme à l'histoire humaine[3]. Dans les derniers vers, la « bête brutale » qui « avance lourdement pour naître à Bethléem » — d'où le titre du poème — annonce une nouvelle ère, une nouvelle barbarie, engendrant une nouvelle aristocratie. Ce processus atteste d'une intensité passionnée : il ne représente pas tant une avancée (la mythologie de Yeats n'avait rien de libéral ou de progressiste) qu'un itinéraire menant à la destruction et la renaissance.

Il se peut que l'analyse de Winter rende justice au poète, mais notre lecture ne doit pas se laisser borner par les intentions de l'auteur, et je ne veux pas m'en tenir là, car ce n'est pas ce que le poème signifie pour nous. Là encore, inévitablement, nous lui attribuons une valeur moralisatrice et politisante qui nous permet, avant tout, de condamner la passion intense, afin de blâmer — ou peut-être simplement déplorer — le manque de conviction. Voilà bien le sens — ou la fonction, plus précisément — de ce poème que je voudrais soumettre à un examen critique.

On notera en premier lieu que les termes du poème ne sont pas interchangeables : dans cette interprétation, il ne suggère pas que ce serait une bonne chose si les « pires » manquaient tous de conviction, et si les « meilleurs » étaient saisis d'une passion intense. En associant bonté et conviction d'un côté, mal et passion de l'autre, le poème reflète une polarisation sémantique, admise, sous la forme d'une antithèse. Pour autant, il ne suffit pas d'avoir des convictions pour compter forcément parmi les « meilleurs ». C'est parfois l'opposé. Le scepticisme, le doute, l'ironie, un esprit critique : tous ces attributs peuvent caractériser les « meilleurs » (même si, là encore, Yeats y voyait sans doute les symptômes du déclin de l'aristocratie). C'est une chose admirable que d'avoir des convictions, mais il est tout aussi admirable de ne pas manifester une certitude absolue à leur endroit. Les « meilleurs », de ce point de vue, ne sont pas les vrais croyants, ni les membres orthodoxes d'un parti, ni les sectaires idéologiquement corrects — car c'est là s'exposer à une passion intense. La conviction ne va pas sans une certaine vulnérabilité politique, car elle repose sur la raison : elle demeure toujours ouverte à la critique et à la réfutation. La conviction morale peut être l'apanage des aristocrates, mais leur noblesse s'exprime tout aussi bien lorsqu'ils se soucient inlassablement de ce qu'ils devraient faire, lorsque leurs convictions, comme dans la citation de Shakespeare évoquée plus haut, sont « affaiblies à l'ombre de la pensée ». Et c'est alors que nous nous soucions, à notre tour, de leur capacité à nous diriger.

Les « pires », en revanche, surtout lorsqu'ils sont membres de l'intelligentsia (et c'est souvent le cas), n'ont pas de convictions mais des croyances, des doctrines, des dogmes, des idéologies. Toutes ces formes de pensée se prêtent à la certitude, et la certitude, lorsqu'elle relève du militantisme, est elle aussi passionnée et intense. Je suppose que la passion intense des « pires » s'exprime souvent dans un registre non-intellectuel ou anti-intellectuel, sous l'aspect du bigotisme ou du préjugé, qui sont pour autant le fruit d'une doctrine. Pour que les membres de tel groupe éprouvent à l'égard des membres de tel autre groupe une haine logique, celle qui fait s'effondrer le centre pour libérer le « flux sombre de sang », il faut que le second groupe ait été condamné par un discours doctrinaire, que l'on ait justifié son infériorité au moyen d'un argumentaire génétique ou généalogique, que l'on ait fait l'historique de ses crimes. Une erreur courante consiste à identifier la passion intense avec l'ignorance. Mais en réalité, les « pires » sont toujours à moitié éduqués : ils constituent la petite-bourgeoisie de l'intelligentsia, pour ainsi dire. On leur a enseigné à croire, mais non à douter. Ou encore, il leur manque la modestie naturelle des « meilleurs », qui, dans le secret de leur âme, se disent qu'ils pourraient se tromper, et qui ont acquis, à force de réfléchir sur cette possibilité, les vertus de l'ambivalence et de la tolérance.

Ce n'est donc pas que les pires sont déraisonnables, mais que leur raison est pervertie par la foi et le dogme, là où celle des meilleurs est tempérée par le doute, voire l'humilité. Il en résulte la situation politique décrite par Yeats. Les pires ont le courage de la certitude ; les meilleurs, au mieux, ont le courage de l'incertitude. Ces rivaux ne se battent pas à armes égales dans l'arène politique.

Or, cette inégalité n'a pas toujours existé. Le poème décrit le moment présent, notre actualité ici et maintenant ; il suggère que nous vivons les derniers jours d'un processus (qui n'est pas forcément le cycle historique suggéré par Yeats). Ce grand cri — « le centre ne tient plus » — déplore le déclin de l'histoire. Jadis, le centre tenait bel et bien — sans quoi, il ne se laisserait pas identifier. Il est difficile de définir exactement cette ère précédente, mais on peut la retracer sans tomber entièrement dans le fantastique. A cette époque, les pires vivaient de fait dans l'ignorance et la soumission passive : aussi étaient-ils meilleurs que de nos jours. D'instinct, ils savaient garder leur rang. Et les convictions des meilleurs étaient encore épargnées par le doute, moins parce qu'ils croyaient en Dieu, la nature ou l'histoire, que parce qu'ils croyaient en eux-mêmes. (Peut-être faut-il dès lors accorder une certaine vérité à la mythologie de Yeats, qui voit dans le centre stable le fait d'une aristocratie jeune, mais bien établie). Les pires étaient humbles, à cette époque, et les meilleurs avaient confiance en eux.

II.

Tel est le tableau qu'évoque le poème de Yeats, ou qu'on peut lui faire évoquer. On peut trouver incongru que j'en tire un rapprochement avec le libéralisme politique, d'autant que Yeats lui-même était passablement de droite ; c'est pourtant bien mon intention (j'aborderai ensuite une perspective libérale plus classique). Si le libéralisme appelle de ses vœux une ère où tous les hommes et femmes, en participant à un processus démocratique, prendront rationnellement des décisions, son malaise devant la passion et les critiques qu'elle lui inspirent, le rattachent à une tradition philosophico-politique plus ancienne, où une petite coterie d'esprits éclairés observaient anxieusement la masse bouillonnantes des êtres irrationnels, en rêvant d'une ère où elle se montrerait passive, respectueuse, politiquement léthargique. La « passion intense » de Yeats rappelle, entre autres, les propos critiques d'un David Hume[4] sur l'« enthousiasme », que l'auteur, dans son *Histoire de la Grande-Bretagne,* diagnostique dans les sectes protestantes du XVIIe siècle. Hume affirmait voir dans la raison l'esclave des passions, tout en espérant que le zèle religieux serait combattu par les êtres de raison, hommes et femmes. Dans cette tradition (dont Hume éclaire utilement le versant conservateur), le moindre engagement émotionnel fort passe pour dangereux, une menace à l'équilibre social et à l'ordre politique, et à ce qu'on pourrait appeler l'élégance morale — soit les vertus indéniables du *gentleman* et de l'érudit. Ces vertus ont leur propre histoire, que je ne creuserai pas ici. Je voudrais plutôt étudier de près la pensée qui les mobilise, et dans laquelle je diagnostique une réaction aux premiers symptômes de la religion populiste et du radicalisme politique.

Le vers frappant de Yeats, « Tout va se disloquer ; le centre ne tient plus » fait écho à un poème plus ancien de John Donne[5] :

> *Tout vole en éclat, toute cohérence abolie,*
> *Toute juste mesure et toute relation.*
> *Prince et sujet, père et fils, sont rôles oubliés.*

Voilà ce qui se passe lorsque « la Philosophie nouvelle met tout en doute ». Cette perspective est de nature plus intellectuelle que celle de Yeats, même si « l'oubli » de la hiérarchie sociale renvoie ici, non pas à la révolution scientifique, mais au radicalisme protestant — les deux étaient sans doute liés dans l'esprit de Donne, qui poursuit son poème en affirmant qu'« Un chaos fébrile s'est emparé/De toute la matière [du monde] ». Donne ne vécut pas assez longtemps pour voir « le flux sombre de sang » se répandre par les rues de Londres, mais ce que ces deux poèmes évoquent, directement ou indirectement, c'est bien l'expérience scientifique où tout se disloque, où le monde explose. Le « chaos fébrile », « l'enthousiasme » et la « passion intense » sont le fait des autres, des plébéiens (et de leurs « intellectuels organiques » [5]) : ces poèmes évoquent traditionnellement les classes inférieures, mais on peut facilement étendre cette interprétation aux populations exclues, aux races réduites en esclavages, aux nations conquises. C'est lorsque ces collectivités se rebellent que « le flux sombre de sang déferle », et que « la cérémonie où naît l'innocence » — les politesses ordinaires, les célébrations, les rituels qui préservent la cohésion du tissu social — se noie dans les flots du déluge.

Cette thèse est séduisante, en ce qu'elle dit manifestement vrai. Qui douterait que la répression puritaine, la Terreur révolutionnaire en France, ou le génocide nazi, ou les massacres et les déportations nationalistes qu'on observe de nos jours furent et demeurent l'œuvre d'hommes et de femmes intensément passionnés, et dont les passions était de la pire espèce : la certitude dogmatique, la colère, l'envie, le ressentiment, le bigotisme et la haine ? Qui douterait qu'à chaque fois, l'échec des modérés résulte plus ou moins de leurs convictions libérales et de leur manque de conviction (ce qui revient au même), de leur propre remise en question ? Ne s'ensuit-il pas que nous devons chercher le moyen d'éliminer la passion en politique pour nous forger de meilleures vertus mentales et spirituelles — la modération, le scepticisme, l'ironie, la tolérance — et les faire triompher sur la scène politique ?

Remplacer l'ardeur par la lumière : ce serait bien, si c'était possible. Or, c'est impossible. Pour comprendre pourquoi, il suffit d'évoquer les réalités de la vie politique. Terroristes et assassins sont souvent en réalité des hommes et des femmes de conviction ; quel que soit leur niveau intellectuel (bas, le plus souvent), ils ne font souvent qu'imiter les aristocrates de la vie intellectuelle. Calvin, Rousseau, Marx et Nietzsche ont tous été copieusement cités par des gens qu'ils refuseraient avec horreur d'admettre pour disciples (encore que ces aristocrates de l'intellect n'aient pas toujours eux-mêmes résisté aux charmes de la passion). Et, dans le même temps, la passion intense de ces terroristes et de ces assassins se retrouve parfois chez leurs adversaires les plus héroïques et les plus efficaces. Si l'adversaire n'était pas si atroce, il n'y aurait aucune raison, aucune opportunité de s'engager ainsi émotionnellement. Mais entrer dans l'opposition et le conflit, le désaccord et le combat, lorsque les enjeux sont élevés, c'est, le plus souvent, faire de la politique. Je n'entends pas définir par là une essence de la politique : les définitions essentialistes ne m'ont jamais tenté. Mais j'admets qu'une vie politique absolument dénuée de conflits ne fait pas sens pour moi, même lorsque j'observe les centristes qui prétendent être d'accord avec tout le monde. Il est possible, bien sûr, d'en affaiblir les enjeux, et c'est souvent une bonne chose, mais on ne saurait les éliminer entièrement. Lorsque Friedrich Engels appelle à remplacer le gouvernement des hommes par l'administration des choses (lesquelles « choses » se soucient fort peu de la façon dont elles sont administrées), cette phrase célèbre m'apparaît comme un fantasme anti-politique[6]. Certes, les administrateurs font bien d'agir selon leurs propres convictions rationnelles, et leur prestation ne peut que bénéficier d'un peu d'ironie et de remise en question. Mais les activistes politiques doivent être portés par un engagement passionné, sans quoi ils perdraient tous leurs combats pour le pouvoir.

C'est là une vérité générale touchant la politique, mais qui vaut tout particulièrement chaque fois que les anciennes hiérarchies sociales sont défiées, que la cohérence est abolie, que le monde vole en éclat. Car c'est la passion intense du plus grand nombre qui lance ce défi, et une fois qu'il est lancé, la « cérémonie où naît l'innocence », les « justes… relations », et la raison tempérée n'ont qu'une valeur limitée. Ils ne constitueront pas un nouvel ordre ; ils ne mèneront pas les individus, hommes et femmes, à accepter la discipline requise pour innover et construire. « Rien de grand ne s'est jamais accompli sans enthousiasme », écrivait Ralph Waldo Emerson[7]. Ce constat se laisse ratifier par l'expérience, et les preuves sont écrasantes. Hélas, il est tout aussi avéré — par des preuves tout aussi écrasantes — que les entreprises atroces requièrent, elles aussi, de l'enthousiasme.

Cette double vérité expose les risques inhérents à la politique lorsqu'elle se présente comme une activité intentionnelle. Et ces risques reflètent une autre dualité : la raison, joue elle aussi un rôle, tant dans les grandes aventures que dans les entreprises atroces. La moindre avancée politique et sociale requiert (entre autres choses) une forme de persuasion rationnelle. Mais l'ambition démesurée qui vise à élaborer un ordre rationnel, au détriment de la foule ignorante et irrationnelle, a produit ses propres formes de terrorisme et d'assassinat. Les activistes passionnés citent souvent les philosophes ; les philosophes sont souvent motivés par la passion. Les uns comme les autres peuvent combattre soit pour le bien, soit pour le mal.

Certes, les risques inhérents à la politique peuvent être augmentés sans réflexion, ou prudemment diminués, mais on ne saurait les éviter entièrement, à moins d'abandonner tout espoir d'entreprendre de grandes choses, bonnes ou mauvaises. Et c'est bien ce qui se produit, me semble-t-il, lorsqu'une séparation radicale s'établit entre conviction et passion, raison et enthousiasme, et qu'on identifie strictement ce dualisme à celui qui distingue entre le centre, censé tenir, et la dissolution chaotique. Il en résulte une idéologie du moindre risque, qui, tant bien que mal, revient à défendre un statu quo. Etrange idéologie, aux arguments peu crédibles en ce qu'elle ne peut guère, par définition, stimuler les esprits: elle ne saurait pousser les individus à l'action, hommes et femmes, sans exiger un investissement passionné dans l'actualité, plutôt qu'une nostalgie attristée à l'endroit du passé. Elle constitue plus une façon d'excuser l'échec qu'un projet de victoire, ce qui explique, à mon avis, le ton élégiaque des poèmes que j'ai cités. Le statu quo n'est défendu que rétrospectivement, une fois que la cohérence est déjà abolie et que tout a déjà volé en éclat — comme pour montrer combien les conséquences de la passion intense sont atroces ! Comme pour dire : n'aurait-il pas mieux valu ne jamais libérer le « flux sombre de sang » ?

Le « flux sombre de sang » — j'ai ressassé cette formule parce qu'elle est un élément-clé, non pas pour comprendre le poème, dont je ne prétends pas avoir la clé, mais la vision du monde qu'il incarne. Je ne saurais dire comment Yeats se représentait cette marée, mais je sais comment nous nous la figurons pour notre part. La marée, c'est la foule, et si le sang des multitudes n'est pas sombre, c'est bien plutôt qu'il assombrit la situation. Leur sang leur monte à la tête : exaltées, passionnées, elles sont prêtes à répandre celui de leurs ennemis. Nous nous imaginons une foule ivre d'enthousiasme — des plébéiens possédés par la rage et le ressentiment, ou des fanatiques, des nationalistes « par le sang et le sol ». Et les pires, ce sont les démagogues à leur tête, qu'eux-mêmes ne considèrent pas comme des manipulateurs cyniques, sur le modèle du Prince de Machiavel, mais comme des hommes et des femmes qui partagent pleinement les passions du peuple qu'ils dirigent. Voilà ce que signifie la passion intense : les émotions sont sincères, sans quoi elles ne seraient pas si effrayantes.

Mais c'est là une version hostile de l'histoire, centrée sur les risques de la passion (et non pas de la raison). Songez maintenant à certains individus qui ont véritablement défié l'ordre établi : les ouvriers du XIXe siècle, qui manifestaient en faveur du droit de rassemblement, les féministes qui s'enchaînaient aux réverbères et « agressaient » les policiers durant les premières décennies du XXe siècle, les défenseurs des droits civiques qui défilaient dans le Sud des États-Unis, dans les années soixante, ou leurs frères irlandais des années soixante-dix, ou encore les partisans de la Révolution de Velours à Prague, en 1989. Il y a de quoi nous convaincre dans cet inventaire. Et pourtant, dans chacune de ces circonstances, il s'est sûrement trouvé des témoins pour se dire qu'ils observaient là une marée sanglante. Je serais tenté de dire sans ambages qu'ils se trompaient, et que le dualisme entre passion et conviction cesse d'être valable dans ces cas précis. Ces protagonistes, dans leur ensemble, font état d'une conviction galvanisée par la passion, et d'une passion maîtrisée par la conviction. N'est-ce pas là ce qui s'est produit ? Pas juste parce que c'est une version des faits attrayante, mais parce qu'elle nie le dualisme. On pourrait dire la même chose de meneurs et de disciples bien moins convaincants que ces hommes et ces femmes qui ont combattu pour la condition ouvrière, le féminisme, les droits civiques, ou la révolution de 1989. Assurément, c'est ce qui s'est produit. L'opposition entre les modérés — dont l'ironie et l'indécision les apparentent à Hamlet — et les foules passionnées, ivres de sang, apparaît certes dans les archives historiques, mais on y trouve plus souvent des partis et des mouvements constitués, de nature très diverse. La politique concerne essentiellement des individus empreints de conviction et de passion, habités par la raison et l'enthousiasme, et chez qui ces sentiments forgent des alliances toujours instables. Les distinctions que nous faisons entre eux, les démarcations que nous établissons, les partis auxquels nous choisissons d'adhérer, ne sont pas déterminés par les dualismes évoqués par Yeats, mais suivant les différents buts poursuivis par ces gens, les divers moyens qu'ils adoptent à ces fins, et les différents rapports qu'ils établissent entre eux. Lorsque notre choix est fait, rien ne nous empêche d'appeler de nos vœux un monde où nos opposants seraient hantés par leurs convictions perdues, tandis que nous continuerions d'être possédés d'une passion intense.

III.

Je veux à présent envisager un cas tout à fait différent de passion politique, où le libéralisme joue un rôle plus marqué, et qui pose la question, jusqu'ici ignorée, des concessions morales et psychologiques accordées — en partie du moins — aux passions par ses théoriciens. Cette question a été soulevée par Abel Hirschman dans son ouvrage *The Passions and the Interests*[8](Passions et intérêts), et par Joseph Schumpeter dans ses réflexions sur l'impérialisme, invoquées dans la conclusion de Hirschman. Même si la pensée du libéralisme repose sur un dualisme radical, celui-ci est refondé de façon à refléter une sociologie (voire un intérêt de classe) qui diffère de la thèse abordée précédemment par l'intermédiaire du poème de Yeats. Cette dernière définissait l'univers social dans une perspective dichotomique :

conviction / passion
aristocrates / plébéiens
minorité d'esprits éclairés / flux de sang sombre

Une autre thèse commence par faire le lien entre la passion et la guerre, ou des actions belliqueuses, qu'elle rattache à l'aristocratie : dans l'histoire, celle-ci tire justement sa légitimité de ses succès guerriers. L'aristocrate idéal, voué à faire montre de courage dans sa quête d'honneur et de gloire, réalise ses ambitions dans le triomphe militaire. Idéalement, là encore, les aristocrates ne combattent que des dragons ; ils sauvent la veuve et l'orphelin, et défendent leur patrie. Dans la pratique, toutefois, cette exubérance héroïque déborde dans des guerres d'agression et de conquête (d'où la thèse de Schumpeter, pour qui les valeurs aristocratiques sont à l'origine des stratégies impérialistes). Comme les gardiens de Platon, les aristocrates doivent être des hommes de cœur, des êtres passionnés, et, dans la bataille, inévitablement, des âmes d'une passion intense. Mais cette intensité ne se borne pas aux guerres avec l'étranger : même si Platon espérait voir ses gardiens se montrer féroces à l'étranger et doux à l'intérieur des terres, la passion aristocratique déclenche aussi bien des guerres civiles ; même en temps de paix, les aristocrates risquent de se déchaîner, de se battre en duel, de dominer les classes inférieures[9]. Hirschman s'inspire pour l'essentiel de textes du XVIIIe siècle, mais cette vision de l'aristocratie apparaît déjà dans les villes italiennes de la Renaissance. « Si nous examinons les ambitions des nobles et du peuple », écrit Machiavel dans ses *Discours*, « il nous faut considérer que les premiers ont un grand désir de dominer, alors que les seconds souhaitent uniquement ne pas être dominés [...] jouir de leur liberté toute leur vie »[10].

Les aristocrates sont des hommes dangereux. Peut-être devrais-je plutôt dire que les tempéraments aristocratiques sont dangereux. Si la plupart des discours, religieux ou séculiers, font l'amalgame courant entre passion et féminité, les femmes sont par ailleurs radicalement exclues de la sphère politique : la passion politique, qu'elle s'incarne dans l'action ou le débat, est l'apanage du mâle. Les hommes attribuent souvent aux femmes un certain sentimentalisme pré-politique, ainsi qu'une sexualité anti-politique et anarchique, sans intensité politique particulière. En revanche, la passion de l'aristocrate pour la gloire, telle que la considèrent ses adversaires, le marchand et l'artisan, est décrite comme une mâle cupidité pour la domination et le sang.

On lui oppose le bon bourgeois qui, dans sa quête avisée

du profit, soupèse ses avantages sur la place du marché, acquiert et dépense, et jouit de sa liberté. Le bourgeois sait que son commerce et sa jouissance requièrent la paix ; sa rationalité intéressée est source de civisme urbain, et du « doux commerce » évoqué par les auteurs du XVIIIe siècle. Certes, lui aussi est motivé par la passion, mais une passion du gain (et du plaisir) qui l'amène à agir essentiellement dans les limites définies par la loi et l'ordre. Dans les écrits analysés par Hirschman, cette passion est isolée et redéfinie comme « l'intérêt », tandis que la passion pour la gloire conserve son ancienne appellation, ses anciennes connotations d'enthousiasme illimité, d'intensité et de violence. Lorsque Samuel Johnson[11] assure que « il est peu d'occupations aussi innocentes pour un homme que celle qui consiste à gagner de l'argent », il sous-estime sans doute les conséquences sociales du capitalisme (c'est l'avis de Hirschman), mais il a parfaitement saisi l'esprit de ma seconde hypothèse, qu'il envisage sous l'angle d'un autre dualisme :

guerre/commerce
passions/intérêts
aristocratie/bourgeoisie

Ce qui importe ici, c'est que l'intérêt se substitue aux convictions (ou aux principes, ou à la raison morale). La conviction morale implique une certaine hauteur d'esprit qui limite ses effets dans la société. On l'associe en général aux « meilleurs », à une minorité d'esprits éclairés, qu'ils proviennent de l'aristocratie ou de l'élite intellectuelle. Mais les intérêts sont plus largement, plus universellement répandus. Nous avons chacun les nôtres, et nous nous employons tous à gagner de l'argent (ou à chercher le moyen d'en gagner), nous pratiquons tous la rationalité intéressée du « doux commerce ». S'il est difficile d'imaginer une politique qui reposerait entièrement sur la conviction morale, ce n'est pas le cas d'une politique régie par l'intérêt personnel [12]. C'est ainsi qu'apparaît de nos jours le libéralisme économique dans le monde ; c'est en identifiant les intérêts qu'il s'ajuste aux passions, tout en excluant les conflits et les alliances les plus farouches. La politique des esprits intéressés et des groupes d'intérêt compétitifs consiste à ouvrir un espace au conflit sans jamais déboucher sur la guerre civile : il désigne une limite explicite aux passions guerrières, implicite aux passions affiliatives. Les écrivains libéraux rationalisent cette politique en la qualifiant de rationnelle, ce qu'elle est, de fait, très souvent. Et devrait toujours être : la défense prônée par Tocqueville de « l'intérêt bien entendu » ne fait que reposer l'ancien dualisme raison/passion, avec toutes les séductions et répulsions qu'elle suscite traditionnellement [13].

Cette vision positive de l'intérêt a marqué la pensée libérale depuis le XVIIIe siècle, même si certains défenseurs du discours idéal et de la démocratie délibérative semblent privilégier la conviction morale : je crois que, dans leur esprit, l'intérêt demeure trop proche de la passion intense. En revanche, il n'y a pas longtemps qu'on identifie l'aristocratie à la passion, et surtout à la violence passionnelle. Cette identification a servi certaines aspirations dans les conflits sociaux du début du siècle, mais la victoire du libéralisme bourgeois, partout où elle s'est produite, a très vite donné lieu à une sorte de compromis aristocratique. Les aristocrates sont passés de la guerre à la diplomatie, en devenant les ambassadeurs d'un certain nombre de régimes constitutionnels ou républicains fraîchement édifiés. Dans la société civile, ils dictaient les normes mondaines, en qualité de mécènes culturels, ou d'arbitres du bon goût. Parallèlement, ils apparaissaient dans la culture populaire (et parfois la vie réelle) comme des « playboys » décadents, des parasites cyniques, des débauchés qui répugnaient toutefois à verser le sang (les « playgirls », quant à elles, appartenaient en général à une classe inférieure). Aussi fallut-il désigner une autre sphère d'activité pour les passions dangereuses.

Ce fut le peuple, mais cette sphère représente aujourd'hui un territoire contesté. L'une des grandes réussites du marxisme est d'avoir établi cette simple vérité : la classe ouvrière a des intérêts rationnels[14]. Il fallait donc, là encore, localiser ailleurs la passion intense. Même si Marx espérait visiblement que les ouvriers se révèlent une menace pour leurs oppresseurs capitalistes, ils ne représentaient pas un danger social. En principe, et dans les faits, ils ne devaient pas plonger le monde dans l'anarchie, mais produire leurs propres critères de cohérence sociale, leur propre façon de faire tenir les choses. La conscience de classe était et reste une discipline rationnelle : marxistes et gauchistes ont affirmé le plus souvent qu'elle saurait résister aux passions irrationnelles, qu'ils identifiaient dans la religion et le nationalisme. Dans l'hypothèse marxiste, certes parfois démentie par les faits, ces deux passions devaient trouver leurs champions les plus fervents non pas dans la classe ouvrière, mais dans la petite-bourgeoisie et le *Lumpenproletariat*.

Cette thèse a été ressuscitée ces dernières années par les critiques de gauche, lorsqu'ils s'en prennent à la politique identitaire. La notion de classe, soutiennent-ils, autorise un comportement politique rationnel en ce qu'elle rassemble les individus autour de leurs intérêts économiques communs ; la notion d'ethnicité repose essentiellement sur la naissance et le sang, et les passions irrationnelles générées par ces deux critères. D'où les restrictions relatives que s'impose la lutte des classes, en comparaison du conflit ethnique : les intérêts de la première peuvent toujours s'accomoder d'un compromis ; le second, à l'image de la passion, veut tout ou rien. Cette distinction n'est sans doute pas sans intérêt, il y a un peu de vrai dans les comparaisons qu'elle propose, mais guère plus [15]. Nous avons vu comment la lutte des classes, inspirée par l'envie, le ressentiment et la paranoïa, devenait une façon de justifier les purges et les massacres, la torture instituée et la séquestration arbitraire, les camps de concentration et les travaux forcés. Et nous avons entendu des mouvements de libération nationale, défendant les droits des femmes ou des minorités ethniques, lancer des appels rationnels au monde en général tout en imposant des contraintes morales à leurs propres activistes. Il nous faut donc réfléchir autrement, tant sur la politique de classe que sur la politique identitaire : il faut distinguer entre les aspects de ces politiques qui nous plaisent, et ceux qui éveillent nos craintes. Pour ce faire, le dualisme intérêts/passion nous sera sans doute de moindre utilité que le dualisme bien/mal. Du moins notre sens du bien et du mal est-il ce qui détermine nos jugements.

IV.

Mais si nous identifions les bonnes et les mauvaises passions en examinant les causes qu'elles servent, et si nous évaluons ces causes en toute rationalité, ne risquons-nous pas de réinstaurer, une fois encore, l'ancien dualisme en favorisant toujours la raison ? Peut-être n'ai-je réussi qu'à légitimer davantage nos propres passions ? De même que la passion pour le gain s'élève pour ainsi dire et gagne en respectabilité, de même j'ai contribué à ennoblir les passions affiliatives et combatives : la première, naguère qualifiée de « cupidité », permet de cerner le comportement de la société mercantile ; les deux autres, la solidarité et l'hostilité, éclairent bon nombre de comportements politiques [16]. Toutes, cependant, demandent à être rationalisées, « bien entendues et bien orientées » comme dirait Tocqueville. Or, en elles-mêmes, elles ne se prêtent ni à la compréhension, ni à la ré-orientation.

Je postule donc, jusqu'ici, la thèse suivante : la passion intense a sa place légitime dans la société, non seulement lorsque nous « faisons de l'argent », mais lorsque nous nous faisons des alliés et défions des adversaires. En étendant la légitimité rationnelle aux passions politiques, j'apporte, me semble-t-il, une modification utile à la théorie libérale, laquelle s'est trop préoccupée ces dernières années de mettre sur pied des procédures neutres de délibération. J'ouvre une voie à une meilleure définition du lien social et du conflit social, en réclamant des réponses plus explicites, plus lucides, à l'inévitable question : de quel côté vous situez-vous ?

Il me semble toutefois que l'ancien dualisme invite à un rejet plus radical. Ce n'est pas qu'il soit impossible de distinguer entre raison et passion d'un point de vue conceptuel : j'ai effectué cette distinction tout au long de ma conférence. Dans les faits, toutefois, ces concepts ne cessent d'interagir, et il me faut conceptualiser cette interpénétration pour mieux l'expliquer. J'ai donc pour ambition de brouiller la démarcation entre raison et passion, de rationaliser (en partie) les passions, et d'insuffler de la passion dans la raison. Nos sentiments sont partie prenante, me semble-t-il, de notre entendement pratique, tout comme ils interviennent lorsque nous prenons en politique le parti de Dieu ou de la Juste Cause. Je vais soutenir cette hypothèse fort simple sans faire usage de la moindre théorie psychologique. On peut la démontrer par un exemple qui ne réclame qu'une réflexion ordinaire, marquée au coin du bon sens, sur nos sentiments.

Prenons l'exemple de l'agression militaire, souvent classée (par Schumpeter, entre autres) parmi les passions mauvaises (voilà encore un jugement psychologique reposant sur le sens commun). Elle éveille en nous une réaction d'hostilité tout aussi passionnée que son objet. Cette hostilité, à mon sens, recouvre une représentation mentale: nous nous imaginons des individus qui seraient nos semblables, vivant tranquillement et paisiblement chez eux, dans leur maison, dans leur patrie. Ils sont attaqués sans raison légitime (ainsi définissons-nous l'agression), tout comme leurs parents et amis, leurs villes et villages, leur mode de vie, qui sont menacés de destruction, voire bel et bien détruits. Sans cette représentation mentale, on ne saurait comprendre notre condamnation rationnelle de cette attaque, qui en dérive: elle dépend de notre identification émotionnelle avec ces individus qui sont une simple projection mentale des hommes et des femmes réels avec qui nous vivons, chez nous, en paix. Cette identification est le fruit des passions affiliatives, qui façonne nos réactions tout aussi précisément que la passion du triomphe et de la domination façonne l'agression elle-même. La passion intense apparaît clairement dans les objectifs et les actes, d'un côté comme de l'autre. Il en va de même avec la conviction rationnelle, car les agresseurs considèrent sans doute — du moins se le répètent-ils, comme le reste d'entre nous — qu'ils ont un droit légitime à la terre qu'ils attaquent, comme nous sommes sûrs et certains que cette violation des frontières représente une menace universelle. C'est ainsi que se présentent les choses: des alliances « bonnes » et « mauvaises » entre raison et passion, qui se prêtent à des distinctions rationnelles et passionnelles.

Vus de loin, les agresseurs apparaissent sans doute comme un « flux de sang sombre ». Et c'est souvent le cas : une colonie de pilleurs, en troupes irrégulières, résolus à piller et massacrer. Mais, ils pourraient aussi bien constituer une armée disciplinée dont les dirigeants, militaires ou politiques, se concentrent passionnément (ou, parfois, rationnellement) sur le processus de conquête. La passion intense, à vrai dire, n'est pas configurée une fois pour toutes dans la société : elle s'incarne aussi bien dans les pilleurs que dans les armées. Et elle n'a pas de base sociale stable. Un ensemble donné de passions, ou de raisons, peut s'ancrer ici ou là, à telle ou telle époque, dans une classe économique ou un groupe ethnique donnés. Mais ces alliances sont toutes instables. Toutes les thèses des historiens qui consistent à repérer la passion intense chez les plébéiens ou les aristocrates, l'intérêt rationnel dans la bourgeoisie ou le prolétariat, trahissent les passions et les intérêts de leurs auteurs : ce sont des thèses idéologiques, au sens premier du terme. On ne saurait proposer une cartographie de la psyché humaine ; de même, il n'est pas de cartographie sociologique qui puisse offrir des repères sûrs à nos choix politiques.

V.

Il nous reste toujours à choisir entre le bien et le mal. Quelle valeur peuvent avoir ces termes dans la sphère politique ? Je crois avoir déjà fait mon possible pour répondre à cette question, mais je vais m'efforcer à présent de récapituler. La politique ne concerne pas en premier lieu ce que les politologues appellent « la prise de décision ». Certes, c'est une tâche qui incombe aux dirigeants, et je suppose qu'ils devraient la remplir rationnellement, sans se laisser emporter par leurs passions. Mais l'on peut avoir des doutes à ce sujet : songez à tous les crimes commis par des dirigeants qui refoulent leur potentiel de sympathie pour agir au nom d'une *Realpolitik* fondée sur la raison pure. Quoi qu'il en soit, avant même que ces dirigeants ne prennent la moindre décision, il leur faut accéder au pouvoir, rassembler des partisans, se constituer un parti bien défini, mettre au point un programme, faire campagne pour rassembler plus de suffrages que les autres partis, et accéder à une fonction officielle. Cette lutte pour le pouvoir représente la manifestation première de la vie politique, laquelle se laisse essentiellement définir comme une rivalité entre des groupes organisés, plus ou moins nettement différenciés. Lorsque j'ai traité des partis et des campagnes électorales, j'ai décrit la façon dont cette rivalité se déroule en démocratie (suscitant apparemment la répulsion de Yeats). Certes, elle peut prendre différentes formes. Mais on considère fondamentalement que sans ces « groupes conflictuels », la politique n'existerait pas, du moins pas sous la forme qui nous permet de l'identifier comme telle.

S'il est un jugement crucial que nous devons faire, celui-ci ne porte pas sur une décision à privilégier, mais sur le groupe qu'il s'agit d'intégrer (ou de soutenir, ou de quitter). Ce jugement crucial concerne le « choix des camarades », pour citer l'écrivain italien Ignazio Silone[17]. Nous faisons ce choix, me semble-t-il, selon un réseau complexe de critères. Le mot « camarade » est utile ici, même s'il peut paraître un peu daté, parce qu'il suggère la présence de liens affectifs forts dans un groupe, et qu'il nous oblige à les prendre en compte parmi les critères pertinents. Se joindre à un groupe de camarades, ça ne signifie pas faire la queue pour prendre un billet de théâtre ; ni s'intégrer à une « série », comme l'entendait Sartre[18]. Ni même signer une pétition en faveur d'un candidat ou d'une politique, en ajoutant son nom à une liste de noms, dont la plupart me sont inconnus. Choisir ses camarades implique un engagement affectif tout autant que moral ou matériel. Indéniablement, ce qui détermine cet engagement, c'est aussi le fait que je partage des convictions et des intérêts avec tous ceux à qui je fais acte d'allégeance et de solidarité. Mais quiconque s'est engagé dans une action politique doit considérer que son engagement politique est motivé soit par l'adhésion rationnelle, soit par les calculs d'intérêts.

Lorsque nous disons qu'un groupe de ce genre vaut la peine d'être choisi, lorsque nous disons que c'est un « bon » groupe, ce constat se laisse toujours analyser en fonction des-dits critères : nous voulons dire par là, d'une part que les convictions exprimées dans son programme d'action peuvent être défendues rationnellement, d'autre part que les intérêts pour lesquels elle prend parti, doivent être défendus ; enfin, que les sentiments de sympathie et d'affection exprimés par ses membres ont de quoi nous séduire : nous les partageons, ou nous aimerions les partager. Dans les faits, bien sûr, la situation est beaucoup plus ambivalente. Le programme de ce groupe associe bien des composantes, dont certaines appellent plus facilement le soutien que d'autres. Les intérêts qu'il défend, même lorsqu'ils sont « bien compris », s'opposent souvent à d'autres intérêts, qui mériteraient également d'être défendus. Ses membres peuvent éprouver, entre autres, une terrible amertume, voire de la haine à l'égard de leurs adversaires, sentiments que nous ne désirons pas partager. Il nous faut juger globalement la situation et, pour ce faire, nous n'entreprendrons sans doute pas l'analyse que je viens de suggérer : elle est en réalité très artificielle parce qu'elle ne prend pas en compte l'écheveau complexe de convictions et de passions qui déterminent l'ensemble de nos jugements. Dans tous les cas, il est certain que nous perdrions notre temps à rechercher des groupes dont les membres ne manifesteraient que de pures convictions, ou de pures passions.

Tout ceci me paraît évident, si évident que je me suis souvent demandé, en rédigeant cette dernière conférence, comment j'allais réussir à énoncer une conclusion novatrice, émoustillante, ou ne serait-ce qu'un tantinet provocatrice. Et pourtant, les dualismes qui opposent la « passion intense » à une espèce de rationnalité morale ou intéressée, l'ardeur à la lumière, sont si prégnantes dans la pensée politique qu'il me suffira peut-être de rappeler qu'elles ne sont d'aucune utilité, qu'elles ne correspondent à rien dans l'expérience réelle de l'engagement politique. Ce n'est pas là argumenter contre la raison : j'ai bien tenté de me justifier rationnellement ! Mais c'est apporter une rectification importante au rationalisme libéral.

Et il est une autre conclusion, une autre rectification que j'ai parfois soutenue explicitement, parfois suggérée plus ou moins obliquement, tout au long de cette conférence et des précédentes : à savoir, que les partis ou mouvements politiques qui s'affrontent aux hiérarchies établies du pouvoir et de la richesse ne l'emporteront jamais, à moins d'éveiller les passions affiliatives et combatives du peuple, qui occupe l'échelon inférieur dans ces hiérarchies. Les passions ainsi ravivées ne peuvent qu'inclure l'envie, le ressentiment et la haine, qui sont les conséquences ordinaires de la domination hiérarchique. Ce sont aussi les démons émotionnels de la politique : ils suscitent inéluctablement les angoisses exprimées ou diagnostiquées dans les poèmes de Donne et de Yeats, angoisses que nous partageons tous, me semble-t-il, pour de bonnes raisons. Mais, parmi les passions suscitées par le refus des hiérarchies, figurent aussi la colère et la solidarité devant l'injustice : aussi ne devons-nous pas céder trop vite à l'angoisse. Il est possible que les choses ne se disloquent pas, que le centre tienne bon, qu'un nouveau centre se forme. Entre temps, nous pourrons intégrer les partis et mouvements qui se battent pour faire évoluer la société, et soutenir les « bonnes » passions en combattant les « mauvaises », mais à la seule condition de faire nous-mêmes preuve d'un engagement… passionné.

Remerciements :

Deux de ces conférences ont connu une vie antérieure. « Les associations involontaires », sous une forme légèrement différente, fut rédigée à l'intention d'un ouvrage dirigé par Amy Gutmann, *Freedom of Association* (Princeton, Princeton University Press, 1988). Une version abrégée de « Délibérons, certes… mais encore ? » sera publiée avec d'autres essais critiques consacrés à l'œuvre d'Amy Gutmann et de Denis Thompson, dans un ouvrage collectif dirigé par Stephen Macedo, *Democracy and Disagreement*, à paraître chez les Presses Universitaires d'Oxford.

Je remercie les organisateurs et les sponsors des Conférences Horkheimer, ainsi que tous les critiques et commentateurs qui ont évoqué avec moi ces conférences de Francfort, ou qui m'ont écrit à la suite de mon séjour — notamment Axel Honneth, Iring Fetscher, Matthias Lutz-Bachman, Lutz Wingert, et Ruth Zimmerling. J'ai aussi reçu l'assistance de nombreux amis, américains et canadiens : Ronald Beiner, Seyla Benhabib, Amy Gutmann, Clifford Orwin, et Dennis Thompson.

NOTES

INTRODUCTION

1. La traduction française de cet article est parue dans *Libéraux et Communautaires* d'A. Berten, P. da Silveira et H. Pourtois, Paris, PUF, 1997.

CHAPITRE UN

1. Voir A. Campbell e. a., *The American Voter*, New York, Willey, 1960, pp. 147-48.
2. Elles serviraient par ailleurs la stratégie démocratique : c'est ce que soutient A. D. Lindsay dans le second chapitre de son essai *The Modern Democratic State*, Londres, Oxford University Press, 1943.
3. Sur Abraham, voir Louis Ginzberg, *The Legends of the Jews*, trad. Henrietta Szold, Philadelphie, Jewish Publication Society, 1961.
4. Voir l'excellent fascicule intitulé *Robert's Rules of Order*, souvent mentionné dans les débats internes des associations les plus radicales, lesquelles s'engagent à se renouveler chaque année.
5. Et même avant d'être l'objet d'une pensée : ainsi, la légende d'Abraham fut contée bien après que se fut établi le « peuple de l'Alliance » dont elle est censée expliquer et légitimer la présence. Bunyan, lui, écrit à la fin du siècle qui a vu se former la « congrégation de fidèles rassemblés ».
6. Cf. mon essai *Obligations : Essays on Disobedience, War and Citizenship*, Cambridge, Mass., Harvard University Press, 1970 — notamment le cinquième chapitre. Voir aussi A. John Simmons, *Moral Principles and Political Obligation*, Princeton, Princeton University Press, 1979.
7. Du moins sont-ils justifiés au regard des conditions démocratiques,

dont celles spécifiées dans le Wagner Act : la fermeture d'une usine doit être ratifiée par la majorité consentante des employés. Cf. Irving Bernstein, *A History of the American Workers : 1933-1941 : Turbulent Years*, Boston, Houghton Mifflin, 1970, pp. 327-28. Lire aussi l'apologie de l'*union shop* par Stuart White, « Trade Unionism in a Liberal State », in *Freedom of Association*, ed. Amy Gutmann, Princeton, Princeton University Press, 1998, chapitre 12.

8. Avec, toutefois, cette réserve : il est possible de vivre dans nombre de communautés politiques en qualité de résident permanent étranger, mais ce statut fixe implique des droits et des devoirs. On peut considérer, comme je l'ai soutenu ailleurs, que l'individu devrait pouvoir choisir entre le statut d'étranger et le statut de citoyen, mais non qu'il puisse distinguer entre les droits et devoirs inhérents à ces statuts. Voir le chapitre 5 intitulé « Political Alienation and Military Service » de mon essai *Obligations*.

9. Jean-Jacques Rousseau, *Le Contrat social*, livre III, chapitre 18. Voir le chapitre 3 intitulé « The Obligations of Oppressed Minorities » de mon essai *Obligations*.

10. L'importance de la responsabilité, principe éthique fondamental, fut établie à l'origine dans le Talmud de Babylone, traité du Shabbat, 54b.

11. Nancy J. Hirschmann, « Eastern Veiling, Western Freedom? », *in The Review of Politics*, tome 59, n°3 (été 1997), pp. 461-488.

12. Irving Fetscher, *Arbeit und Spiel*, Stuttgart, 1983, pp. 146-65.

13. Julia Kristeva, *Étrangers à nous-mêmes*, Paris, Fayard, 1988, p. 41.

14. George Kateb, « Notes on Pluralism », in *Social Research*, t. 61, n°2 (été 1994), p. TK.

15. C'est là le titre de la quatrième partie de l'essai de Harold Rosenberg, *The Tradition of the New*, New York, Horizon Press, 1959.

CHAPITRE DEUX

1. Les théories de Habermas sur la communication ont certes inspiré de multiples critiques, dont la plupart se sont attachés aux aspects techniques de cette philosophie. Les essayistes américains, dont la plupart évitent un discours technique, ont jusqu'ici échappé aux critiques. On se reportera toutefois à l'article de Lynn Sanders, « Against Deliberation », in *Political Theory* (juin 1997), ainsi qu'à mon propre essai « Critique of Philosophical Conversation », in *The Philosophical Forum* (automne-

hiver 1989-90). Cet article porte, entre autres, sur les théories de Habermas.

2. Amy Gutmann et Dennis Thompson, *Democracy and Disagreement*, Cambridge, Mass. : Harvard University Press, 1996.

3. Jürgen Habermas propose une analyse intéressante du « marchandage » dans (*Norms: Contributions to a Discourse Theory of Law and Democracy*). Cet ouvrage s'achève sur des propositions visant à réglementer le processus du marchandage, de façon à le rapprocher autant que possible de la délibération, et non d'une épreuve de force. Voir notamment les chapitres 7 et 8.

4. Gutmann et Thompson, *op. cit.*

5. William Shakespeare, *Hamlet*, acte III, scène 1.

6. Joseph M. Schwartz, *The Permanence of the Political : A Democratic Critique of the Radical Impules to Transcend Politics*, Princeton, Princeton University Press, 1995.

7. Notamment celui de James Fishkin, *Democracy and Deliberation : New Directions for Democratic Reform*, New Haven, Yale University Press, 1991.

8. Si les jurés ne sont là que pour avancer leurs conclusions en supplément à l'ensemble d'idées et de propositions qui font déjà l'objet d'un débat sur la scène politique, ils sont utiles au même titre que les *think tanks* (groupes de réflexion) et les commissions présidentielles. Si l'on revendique pour eux une quelconque autorité démocratique, si l'échantillon représentatif se substitue à la population toute entière, ils présentent un danger.

CHAPITRE TROIS

1. W. B. Yeats, « La seconde venue »in *Choix de poèmes*, trad. René Fréchet, Paris, Aubier, 1975, p. 232.

2. Cette traduction est inclue dans l'édition allemande de Yeats, *Ausgewahlte Werke*, Zurich, Coron-Verlag, 1971, p. 135. Je remercie Martina Kessel de m'avoir indiqué cette référence.

3. Cf. Yvor Winters, *Forms of Discovery : Critical and Historical Essays on the Forms of the Short Poem in English*, Alan Swallow, 1967, pp. 213-214.

4. Cette critique de l'enthousiasme (et du zèle religieux, du fanatisme, etc.) prévaut dans l'*Histoire de la Grande-Bretagne* à partir du chapitre 50. Voir l'analyse de David Miller dans *Philosophy and Ideology in Hume's Political Thought*, Oxford, Clarendon Press, 1981, pp. 57, 103,

116-17, 151.
5. John Donne, « Le Premier anniversaire : anatomie du monde » in *Poésie*, trad. Robert Ellrodt, Paris, Imprimerie Nationale, 1993, p. 311.
6. Dans son *Anti-Dühring*, Paris, Editions sociales, 1950.
7. Emerson, *Société et Solitude*, trad. fr. Marie Duval, Paris, Armand Colin, 1911.
8. Hirschman, *The Passions and the Interest : Political Arguments for Capitalism before its Triumph*, Princeton, Princeton University Press, 1977. Cf. Joseph A. Schumpeter, *Imperialism and Social Classes*, New York, Kelley, 1951.
9. Cf. *La République* de Platon, livre II, 375.
10. Machiavel, *Discours*, livre I, chapitre 5.
11. Hirschman, *op. cit.*, pp. 57-59. La citation est tirée de *Boswell's Life of Johnson*, New York, Oxford University Press, 1933, t. I, p. 567.
12. Hume, comme d'autres écrivains du XVIIIe siècle, identifie et loue une autre passion, la « bienveillance à l'égard des étrangers », mais la juge « trop faible » pour « parer à l'amour du gain ». Cette dernière passion ne peut être réorientée, ni remplacée ; elle régule la vie économique et politique. Cf. David Hume, « Morale » in *Traité de la Nature Humaine*, trad. fr. André Leroy, t. II, p. 731.
13. Cf. Alexis de Tocqueville, *De la démocratie en Amérique*, deuxième partie, chapitres 8 et 9.
14. Cf. Jon Elster, qui souligne cet aspect du marxisme dans son *Making Sense of Marx*, Cambridge, Cambridge University Press, 1985.
15. Pour un exemple représentatif, voir Bogdan Denitch, *Ethnic Nationalism : The tragic Death of Yugoslavia*, Minneapolis, University of Minnesota Press, éd. revue 1996.
16. Cf. Diane Rothbard Margolis, *The Fabric of Self : A Theory of Ethics and Emotions*, New Haven, Yale University Press, 1988. Elle montre dans son chapitre 5 comment l'attraction et la répulsion sont des affects tributaires de ce qu'elle nomme le « moi sous obligations », ou encore le « moi civique ».
17. Ignazio Silone, *Emergency Exit*, trad. angl. Harvey Ferguson, New York, Harper & Row, 1968.
18. Pour une présentation plus accessible du concept sartrien de (sérialité?), cf. R. D. Laing et D. G. Cooper, *Reason and Violence : A Decade of Sartre's Philosophy, 1950-1960*, New York, Pantheon, 1971, pp. 121 et suivantes.

Table

Achevé d'imprimer en avril 2003
sur les presses de la Nouvelle Imprimerie Laballery – 58500 Clamecy
Dépôt légal : avril 2003 Numéro d'impression : 303191

Imprimé en France